La stesura de *Il compagno* è datata 4 ottobre - 22 dicembre 1946. Il romanzo breve o racconto lungo uscí in libreria nel 1947, inaugurando la collana einaudiana «I Coralli». La sua appartenenza a una specie di trittico dell'educazione politica, insieme con *Il carcere* e *La casa in collina*, è affermata come di diritto da uno scritto di Cesare Pavese (Santo Stefano Belbo, Cuneo, 1908 - Torino, 1950) per la seconda edizione: «Il presente libro è la storia di un'educazione e di una scoperta. Come i giovani delle classi colte borghesi maturassero alla vita e alla storia negli ultimi anni del fascismo, ci è stato raccontato da molti. Resta a tutt'oggi da indagare come ci siano arrivati gli altri – i proletari e gli incolti. L'autore non si illude di esserci riuscito, ma ha provato...»

Al contrario dell'ingegnere Stefano de *Il carcere* o del professor Corrado de *La casa in collina*, il protagonista de *Il compagno* non è un intellettuale. Pavese dichiara francamente di avere immaginato un giovanotto piccolo-borghese, scioperato e incolto «qualcosa di peggio di un proletario» e di averlo messo di fronte a certe realtà. La vicenda, secondo Pavese, dovrebbe essere tutt'altro che esemplare. Lo chiamano Pablo perché suona la chitarra, ma non si limita a suonare la chitarra, ha anche le sue idee circa i suoi privilegi e le sue libertà. Pavese racconta gli amori, le confusioni, i fatti piú piccoli e piú grandi e la maturazione di un giovanotto sbandato nel tempo del fascismo, tra la guerra di Spagna e la Seconda guerra mondiale, in cui il regime continua a perdere presa sul popolo che lo aveva accettato ed esaltato e, via via, si aprono sempre maggiori crepe nel consenso. «Le sue avventure non dimostrano nulla. L'autore lo sa, – ribadisce Pavese per controbattere le accuse di programmaticità o, peggio, di propaganda. – Sono le avventure di Pablo. L'autore crede che un racconto non possa mai dare altro che le avventure di Pablo. Il mondo è pieno di Pabli, tutti diversi e tutti intenti a scoprire le cose. Che ciascun narratore ci dia conto di qualcuno di loro; quelli bravi ce ne allineino magari parecchi, in tanti bei racconti diversi. Penseranno poi i posteri a scegliere e a decorare i piú duraturi, e magari a trovare in uno solo di loro il campione del secolo...»

Riconsiderato a distanza di tanti anni, il personaggio di Pablo, il ragazzo che suona la chitarra e va di fretta, appare un poco una prefigurazione dei tanti Pabli venuti dopo. Nato a Torino, Pablo vi vive una sua inquietudine esistenziale e si inventa una disciplina proprio nella confusione di Roma, per tornare piú deciso e piú motivato nella città natale con l'obiettivo di fare effettivamente qualcosa: «tenere duro e sapere il perché». *Il compagno* non è il miglior libro di Pavese, ma uno dei piú commoventi, e se ne rese conto con la solita divorante lucidità l'autore, come testimonia un'annotazione del suo diario *Il mestiere di vivere*.

«8 ottobre 1948. Riletto, ad apertura di pagina, pezzo del *Compagno*. Effetto di toccare un filo di corrente. C'è una tensione superiore al normale, folle, dovuta alla cadenza sdrucciola delle frasi. Uno slancio continuamente bloccato. Un ansare...» A Cesare Pavese restavano ormai meno di due anni di vita. C'è un'altra annotazione preziosa per capir meglio *Il compagno*. «15 dicembre 1949: il fatto è che sei diventato quella strana bestia: un uomo fatto, un autorevole nome, un big. Dov'è piú il ragazzo che si chiede come si faccia a parlare, il giovanotto che si rode e impallidisce pensando a Omero e a Shakespeare, il ventenne che vuole uccidersi perché scioperato, il tradito che stringe i pugni pensando se potrà mai confondere la bella con la sua grandezza, ecc. ecc.? È evidente che non ti riescano che i giovani nel raccontare – è la sola esperienza a fondo e disinteressata che hai fatto. Il big lo tratterai da vecchio...»

Milano, Aprile 2001 - Francesco Pesce

Einaudi Tascabili. Letteratura
33

Cesare Pavese
Il compagno

Einaudi

Il compagno

I.

Mi dicevano Pablo perché suonavo la chitarra. La notte che Amelio si ruppe la schiena sulla strada di Avigliana, ero andato con tre o quattro a una merenda in collina – mica lontano, si vedeva il ponte – e avevamo bevuto e scherzato sotto la luna di settembre, finché per via del fresco ci toccò cantare al chiuso. Allora le ragazze si eran messe a ballare. Io suonavo – Pablo qui, Pablo là – ma non ero contento, mi è sempre piaciuto suonare con qualcuno che capisca, invece quelli non volevano che gridare piú forte. Toccai ancora la chitarra andando a casa e qualcuno cantava. La nebbia mi bagnava la mano. Ero stufo di quella vita.

Adesso che Amelio era finito all'ospedale, non avevo con chi dir la mia e sfogarmi. Si sapeva ch'era inutile andarlo a trovare perché gridava giorno e notte e bestemmiava, e non conosceva piú nessuno. Andammo a vedere la moto ch'era ancora nel fosso, contro un paracarro. S'era spaccata la forcella, saltata la ruota, per miracolo non s'era incendiata. Sangue per terra non ce n'era ma benzina. Vennero poi a prenderla con un carretto. Non mi sono mai piaciute le moto, ma era come una chitarra fracassata. Fortuna che Amelio non conosceva piú nessuno. Poi si disse che forse scampava. Io pensavo a queste cose mentre servivo nel negozio, e non andavo a trovarlo perché tanto era inutile, e non parlavo piú di lui con nessuno. Pensavo invece, rientrando la sera, ai discorsi che avevo fatto con tutti ma a nessuno avevo detto ch'ero solo come un cane, e non mica perché non ci fosse piú Amelio – anche lui mi mancava per questo. Forse a lui l'avrei detto che quell'estate era l'ultima e tra osterie, negozio e chitarra ero stufo. Lui le capiva queste cose.

Poi si seppe che Amelio era tutto ingessato e le gambe gli morivano. Io ci pensavo giorno e notte e avrei voluto che la gente non mi parlasse piú di lui. Adesso si diceva

che con lui quella notte c'era stata una ragazza, ch'era volata dentro il prato senza nemmeno spettinarsi, e che andavano come due matti, erano sbronzi, e falla un giorno falla
un altro finisce cosí. Ne dicevano tante. La ragazza me la
fecero vedere un mattino che passava sul corso, di fronte
al negozio. Era alta, ben messa. Nessuno avrebbe detto ve-
dendola che aveva fatto quel salto. Andava bene per Amelio, questo sí. L'idea che per tutta l'estate avevan corso le
autostrade stretti insieme sulla moto, mi fece una rabbia.
Valeva anche la pena di spaccarsi la testa. Adesso dicevano
che andava a trovarlo. Meno male. Non c'era bisogno che
andassimo noi.

Stavo poco in negozio quei giorni. Uscivo senza compagnia e andavo a Po. Mi sedevo su un asse e guardavo la
gente e le barche. Era un piacere stare al sole la mattina.
Volevo capire perché fossi stufo e perché proprio adesso
che mi sentivo come un cane, non volessi piú saperne degli
altri. Pensavo che Amelio non poteva sedersi e non avrebbe camminato mai piú. Amelio viveva per questo – tutto
il giorno provava motori – come farebbe adesso a vivere?
Forse in barca poteva tornarci. Ma, anche avendo dei soldi,
non è la barca che può soddisfare, non la chitarra, non è
niente. Lo vedevo da me. Cosa avrei dato per sapere come
Amelio viveva prima di rompersi la schiena. Forse perché
faceva a meno di chiunque e non diceva quattro parole in
un discorso, non mi era mai venuto in mente di parlargliene. Tante sere ero stato con lui – la chitarra suonava e ci
piaceva a tutti e due – bevevamo un bicchiere, poi si tornava lui sul corso, io nel negozio. L'avevo sempre conosciuto con quella giacca impermeabile da motociclista. Passava
un momento in negozio e diceva «Stasera?» Le sue ragazze
non le aveva mai fatte vedere. Se all'osteria capitavano degli altri, lui restava al suo tavolo.

Un mattino entrò decisa, ridendo, la ragazza del corso e
mi chiese chi era Pablo.

– Sono Linda, – disse. – Mi manda Amelio ch'è tornato
e non può muoversi. Vuol vedere qualcuno.

Mia madre ch'era in negozio s'informò della salute di
Amelio. Parlarono un po' tra donne, e Linda si guardava
intorno. Era allegra; metteva coraggio. Non avevo ancor
sentito nessuno parlare cosí di quel fatto.

Da Amelio ci andai l'indomani e lo trovai finestra aperta, dentro il letto. Non disse niente dei giorni passati, né

che mi aveva mandato a chiamare. Era sempre grande e lungo e portava un maglione giallo: la faccia era la stessa ma sbattuta, come di chi non ha dormito. La stanza era in disordine. Dalla finestra entrava piano la nebbia. Sembrava di essere in strada.

Non gli chiesi com'era andata, perché già si sapeva. Lui, mi chiese che cosa facevo e se avevo molto usato la chitarra in quei mesi. Alzai le spalle. – Che chitarra –. Tirai fuori il pacchetto e accesi a tutti e due.

– Siamo andati a vedere la moto, – gli dissi. – In che stato. Vendi i pezzi?

– Una moto si aggiusta, – mi fece. – Non ha mica le gambe, una moto.

La nebbia che entrava mi bagnava le mani. Fuori era fresco, era mattino. – Senti, – gli dissi, – non hai freddo?

– Chiudi, è freddo.

Passai davanti alla specchiera, e lo vidi riflesso. Stando nel letto lui si vedeva tutto il giorno come a sporgersi da una barca. Vedeva prima le coperte, poi un pezzo di lenzuolo, poi la maglia e la faccia e le mascelle, e quel fumo.

– Fumi forte? – gli chiesi.

Staccò la cenere col dito e ghignò un poco.

– Questa è la prima. Le finisco di notte.

Ero venuto dal negozio con un pacco da cento e non sapevo come fare. Colsi il momento e gliele misi sopra il letto tra i giornali.

– Io da quel giorno la chitarra non l'ho piú portata a spasso, – dissi intanto. – Sono stufo. Vale la pena la chitarra per divertire quattro stupidi che si fanno trovare la sera nei prati? Fanno baccano, fanno i matti, cosa c'entra la chitarra? D'or innanzi se voglio suonare mi metto da solo.

– Anche da soli non è allegro, – disse Amelio. – Hai fortuna che non devi suonare per vivere.

Potevo dirgli ch'ero stufo della vita che facevo e che avrei preferito suonare per vivere? Che il mondo era grande e volevo cambiare? girarlo e cambiare? Quel mattino sapevo soltanto che qualcosa avrei fatto. Tutto doveva ancor venire.

– Se suonassi per vivere, capiresti qualcosa, – disse Amelio, buttando la cicca e stendendo la testa. Era magro, la gola sporgeva come un osso.

Ci ritornai mattine dopo. Mi piaceva quell'ora perché in casa non c'era nessuno. Si entrava in cucina toccando la porta, dicevo permesso, e mi trovavo nella stanza sempre fredda e spalancata.

Amelio stava al freddo per essere come sul corso. Quando non si appoggiava al gomito per spostarsi di peso sul fianco, aveva sempre il naso in aria a respirare. Io mi sedevo in punta al letto, per non premergli le gambe.

– Fa male?

Lui mi guardava senza batter gli occhi. Certe risposte non le dava. Era Amelio. Rispondeva cosí, stando zitto. Gli chiesi una volta se nessuno veniva a trovarlo. Lui mi mostrò con gli occhi un mazzetto di fiori in un bicchiere accanto al letto.

– Ti va bene, – gli dissi.

Fargli coraggio non sapevo. Mi pareva che avesse piú coraggio di me. Non parlava di quando sarebbe guarito. Non parlava di niente. Era Amelio. Io dicevo qualcosa; certe volte mi animavo, lui mi ascoltava, rispondeva a voce bassa.

– E non vai piú nei prati? – diceva.

– Mi dev'essere successo qualcosa. Non mi va piú la compagnia. Neanche il negozio non mi piace. Sarà che ho voglia di far niente, ma non credo. Tanta gente c'è al mondo, e tutti fanno, tutti vivono. Tu che eri sempre in movimento lo puoi dire. Serve a qualcosa stare in casa?

– Ma ce l'hai la ragazza?

– Cos'importa? La pianti e stai meglio.

– Dipende.

Perché facevo quei discorsi proprio con lui ch'era uno storpio? Non sapevo a chi farli. Me ne accorgevo solo dopo, per la strada, quando provavo quel sollievo a uscir dal chiuso, dall'odore di coperte e di sporco, dalla fatica di parlare. Allora mi vergognavo di aver detto che avrei fatto, avrei cercato, avrei girato, perché che cosa gl'importava tutto questo a lui ch'era uno storpio, inchiodato nel letto?

Una volta incontrai sul portone quella Linda che usciva. Mi diede un'occhiata e passò. Io salii adagio le scale per non arrivare che lui ci pensasse ancora, e dicevo «Se venivo un po' prima, li trovavo insieme». A quel tempo non sapevo gran che di ragazze, se anche parlavo come chi l'ha vista brutta. Ne trovavo la sera al cinema, e prima in barca, o a ballare, e tutte quelle che venivano in negozio. Ma non è questo una ragazza. Non sapevo ancor niente. Entrai da Amelio battendo alla porta perché mi sentisse. Amelio stava un po' rialzato contro il cuscino e fumava; la cicca gli pendeva incollata sul labbro. Stavolta gli chiesi quand'è che faceva conto di uscire dal letto. Intanto fiutavo il profumo di Linda e capivo perché la finestra era aperta. Non feci caso a quel che disse perché cercavo con gli occhi quei fiori e non c'erano.

– Non ti hanno piú portato il mazzo, – dissi.

Sulla sedia c'era tazza e piatto sporchi. Sul letto, in mezzo ai giornali, l'impermeabile disteso, e quel mattino la stanza era molto in disordine. Faceva freddo come sempre. La notte era piovuto ma sul corso usciva il sole. Si sentiva gridare al mercato e il via vai della gente.

– Ti va bene se vengo a quest'ora? – gli dissi.

Amelio alzò le spalle e sputò via la cicca. – Vai di là, prendi un bicchiere, – disse. Quando tornai, s'era versato da una bottiglia che stava per terra una tazza di cognac, e altrettanto ne diede a me. – Invece dei fiori ti han portato il liquore, – dissi. – Non ti fa male a quest'ora?

Tranguggiò, poi rispose: – Non devo mica camminare.

Era buono; già allora mi piaceva un cicchetto al mattino.

– Non bere troppo, – disse.

Tirai fuori le altre sigarette; mai che sapessi in che momento lasciargliele; gliele misi sulla sedia dei piatti. Lui le guardò e posò la tazza. Non ci pensò alle sigarette.

– La questione è carrozza o stampelle, – disse brusco. – Paralisi.

Io mi aspettavo quel momento, fin da quando ero venuto il primo giorno. Tutti gli altri discorsi erano soltanto parole. «Guarda, – pensai, – non si è fatto la barba nemmeno per lei». Non parlai; feci soltanto una smorfia come chi non ci crede. Pensai che fuori c'era il sole. Posai gli occhi sul letto dove lui aveva le gambe.

– Cosa dicono i medici?

– Per loro... – Dando un fiato di sforzo, buttò via le coperte puntando sul braccio. Mostrò due cosce ch'eran sporche di pelo e secche stecchite dall'anca al ginocchio. Sembravano morte, due rami morti di una pianta secca, e non piú grosse del suo braccio. Ma il maglione finiva prima. Feci finta di guardargli le gambe.

Lui non parlava; io non parlai. Si torceva sul braccio, e le gambe erano morte. Diedi un'occhiata alla finestra. Dissi: – Hai freddo –. Fece con la testa segno di no e guardava cattivo. Allora mi alzai e andai a chiudere i vetri.

Quella sera venne Linda a cercarmi in negozio e mi chiese se avevo notizie di Amelio.

– Non vi siete visti? – dissi stupito.

– So che l'hanno sgessato, – disse lei. – Che roba.

In negozio c'eran Lario e Chelino, che la stavano a sentire e la guardavano. Dopo un poco lei mi chiese quando andavo a trovarlo.

S'intromise Chelino che cominciò a dir stupidaggini. – Preferisce se vanno delle ragazze a trovarlo... – Io Chelino già a quel tempo non potevo soffrirlo; era di quelli che ti vengon dietro e ti dicono «Stasera ridiamo», e tu suoni e cantate e bevete, poi l'indomani senti dire che la chitarra l'hai comprata coi denari di tua mamma e che se hai dato sigarette a tutti quanti era per non pagare il vino e che vai con Amelio perché è un sovversivo e tu sei un coglione. Ma Linda gli diede un'occhiata di quelle che lei dava ridendo, e si capiva che rideva per non dovergli far risposta.

Disse a me se volevo che andassimo insieme a trovarlo.

Quando fummo sul corso noi due, si guardò indietro e rallentò. – Amelio sta male, – disse. – Non potrà camminare mai piú. Voglio sapere cosa dice a voialtri quando andate a trovarlo.

– Sono io solo che vado...

– No, – disse Linda, – ha molti amici che ci vanno.

– Non li conosco.

– Stai buono, Pablo, – disse Linda ridendo, e mi prese a braccetto. – Passeggiamo. Non voglio salire da Amelio. Senti, agli amici io do del tu.

Quella sera girammo parlando di tutto. Io sto bene la sera se ho avuto il tempo di vestirmi, e mi piace una cravatta intonata, ma Linda mi disse che sbagliavo colore. – Sono uscito come sono, per andare da Amelio, no?

– Non fa niente. Stasera parliamo.

Quando dissi che l'avevo incontrata sul portone di Amelio quella stessa mattina, non mi diede risposta. Non voleva mica saperne. Smetteva di chiacchierare, e cambiava discorso ridendo. Mi raccontò di quando andava con Amelio a far le gite, di quand'era volata nel fosso, del vestito che aveva strappato.

– Ma perché siamo insieme stasera? – disse una volta, fermandosi. Passavamo in fondo a una piazzetta, dove non ero mai stato.

– Dove andiamo?

– Ah volevo domandarti se possiamo aiutarlo –. Parlava cambiando d'umore cosí, come se avesse bevuto. Ma non era una sciocca. Era fatica starle dietro nel discorso. La tenevo a braccetto, e discutevo. Ogni volta con il tu mi sbagliavo. Ero sudato.

– Voglio che Amelio torni in piedi, e che cammini, – diceva imbronciata.

– Non sulla moto?

– E tu perché non hai la moto?

Allora dissi che a ciascuno il suo mestiere e che Amelio era stato piú in gamba di me e ch'io vivevo sopra il corso e praticavo solamente i tabacchi e i ciclisti.

– Ma qualcosa lo fai.

Non ci pensavo, e lei mi disse che suonavo la chitarra. – Suoni bene?

– Chi sa.

– Una sera ti voglio sentire.

Allora bisognava rivederci, le dissi ridendo.

– Si capisce, – mi disse.

Ci sedemmo al caffè e cosí potei vederla bene in faccia. Quando parlavo, mi guardava dentro gli occhi. Io pensavo alle gambe di Amelio.

Per capire se anche lei le aveva viste, le raccontai della mattina. Fece una smorfia e chiuse gli occhi; lasciò che dicessi. Non avevo finito che mi mise una mano sul braccio e disse in fretta:

– Dobbiamo aiutarlo. Non può piú lavorare.

– Neanch'io lavoro. Vivo in casa.

– Perché non suoni in un'orchestra?

Ci voleva una sera cosí, per dir questo. Io non ci avevo mai pensato. La mia chitarra andava bene all'osteria, in fondo al corso. Non era un lavoro. Mi piaceva suonarla da solo.

– A ballare ci vai?

Combinammo di andare a ballare. La lasciai sotto i portici. Stava in piazza Castello.

II.

Non gli dissi ch'ero uscito con Linda. Adesso entrando, prima cosa si sentiva quel profumo. La finestra era aperta, ma nel freddo sentivo il profumo. Guardavo in terra i mozziconi se eran sporchi di rossetto.

– Vedrai che guarisci, – dicevo, – basta fare esercizio.

– Che esercizio?

– Hai imparato a camminare, da ragazzo?

– Con che gambe?

Non mi parlava piú dei fiori. Non si faceva piú la barba. La bottiglia del cognac l'aveva finita.

– Se continui cosí, le spaventi, – dicevo.

– Chi?

– Le ragazze.

Un mattino mi disse di portarmi la chitarra. Io in quei giorni bastava dicessi a bassa voce «Buono, Pablo» per sentirmi felice. Venni con la chitarra e, seduto sul letto, cercai di suonare. Lui mi ascoltava con la testa sul cuscino. Chiudeva gli occhi come Linda. Ma non s'accorse che suonavo male. Non disse niente. Io gli dissi: – Domani porto qualcosa da bere.

L'indomani mi sedetti nel caffè in faccia al portone e stetti mezza la mattina se vedevo Linda uscire. Vidi uscire la mamma di Amelio, vidi andare e venire la gente, ma Linda non venne. Salii col fiasco e la chitarra all'ora solita, e suonai con piú gusto e bevemmo e parlammo. Di sentirci il profumo di Linda non ero piú cosí sicuro. Altre mattine mi appostai dentro il caffè. Non la vidi passare.

– Senti, – gli dissi una mattina, – hai avuto fortuna che ti sei fatto male tu. Eravate ubriachi. Pensa un poco.

– Ci ho pensato.

– Quella ragazza non s'è fatto niente?

– Non si fanno mai niente le donne.

– Ma eravate ubriachi?

– Chi lo dice?

Una volta mi chiese se andavo a ballare.

– Non ne ho voglia, – gli dissi. – Vado in giro.

– Non hai voglia di donne?

– Non è stagione, – dissi. – Stai senza tu, posso star io.

– Quella specchiera, – disse. – Sembra di essere al cinema.

– Io vorrei che le donne mi cercassero loro, – dissi. – Starmene a letto come te. Lasciarle fare. Tanto è lo stesso.

Amelio si guardava lassú, senza rispondere.

– Non lavori, non cerchi ragazze, – diceva. – Sei giovane. E hai la faccia contenta.

Da quel giorno cercai, se andavo a trovarlo, di far conto che non avessi mai visto Linda. Pensavo alle gambe di Amelio e alla moto. Ma mi veniva in mente Linda. Me la sentivo contro il braccio e toccare il ginocchio ballando e che rideva e camminava.

Non suonai molte volte nella stanza di Amelio. Non si poteva ubriacarci ogni mattina. Nel pomeriggio non ci andavo. C'era sua madre che girava in cucina e non voleva che bevessimo. Una volta mi tenne sull'uscio a parlare e non piangeva, non alzò la voce, non voleva che Amelio sentisse – mi diceva che già da bambino suo padre l'aveva battuto una volta e lasciato per morto perché scappava in bicicletta chi sa dove, e che Amelio era stato malato di mal di capo per mesi e un dottore l'aveva guarito facendogli una puntura, proprio in quella cucina. Cosa serviva l'ospedale adesso, che ci tenevano la gente tanto tempo e non guariva? Gli mangiavano i soldi, poi mandavano a casa. Adesso Amelio non poteva piú far niente. A sentirla discorrere cosí per sfogarsi, mi vergognavo di esser io e aver portata la chitarra e dicevo che Amelio era un bravo ragazzo e che avrebbe trovato certamente un lavoro.

– Guadagnava e spendeva, – lei disse, – spendeva con tutti. C'è qualcuno che ha fatto tanto di rendergli un soldo? Ho venduto la radio, ho finito il libretto. Cosa gli han dato quella gente?

– Ha degli amici. Gli vogliamo bene.

– Vengono solo per discorrere...

Amelio si mise a gridare dalla sua stanza che mi lasciasse andare a casa.

– Chi è sano non pensa ai malati, – disse ancora la vecchia.

Questa volta fui io che a Linda – la notte in collina –
chiesi perché non facevamo qualche cosa.

– Io ho fatto molto, – disse secca. – All'ospedale l'ho
curato. Quando tu non sapevi nemmeno dove era. Gli ho
messo a posto i suoi pasticci. Chiedigli un po' chi ha salvato
quei soldi a Novara.

– No, non chiedergli niente, – disse subito, prendendo-
mi il braccio. – Che non ti chieda lui qualcosa.

Quando parlava cosí, era allora ch'io capivo chi fosse.
Tante cose c'eravamo raccontato quella sera, tanti scherzi
tra noi, ma bastava un momento per farmi paura. Se ci fossimo presi a parole in quel momento, non l'avrei piú veduta. Non sapevo dove stava né come viveva. Scherzavamo
soltanto. Scherzavamo su ogni cosa. Con lei scherzare era
un piacere, era un modo di andar d'accordo. Ma si sentiva
ch'era un'altra.

– Tanto Amelio con te non ballava, – le dissi, al ritorno.
– Non c'è niente di male se andiamo a ballare noialtri.

– Hai ragione, – mi disse.

Discutemmo che Amelio ballare non poteva piú, ma poteva ubriacarsi, poteva star seduto, poteva anche fare l'a-
more. Lei diceva che Amelio doveva averne voglia di fare
l'amore. – Tutti han voglia di farlo, – diceva, – non sai?

Poi mi chiese scherzando se Amelio non mi aveva mai
chiesto di cercargli una donna. – Gliel'avrei già mandata
io, – diceva, – ma non ne conosco nessuna. Non conosco
che uomini.

– Una donna ci andrebbe da lui?

– Perché no?

Allora dissi: – Tocca a te.

– Non voglio fargli questa cattiveria, – disse lei.

Linda mi disse l'indomani che voleva sapere quando andavo da Amelio, per venirci anche lei. – Voglio sentire i
tuoi discorsi, – disse. – Quel che vi dite tra voi uomini.

Ci andai nell'ora che la madre non c'era, e portai la chitarra. Era rimasto un po' di vino e lo bevemmo. Posai la
chitarra sul letto, e lui la prese e toccava le corde. Stava
zitto e ascoltava le corde a testa bassa. «Se sapesse suonare, – pensai, – potrebbe uscire con le grucce e fare il povero». E allora mi accorsi che i poveri, tutti quelli che stanno
sugli angoli, e sono storpi, sono ciechi, hanno le croste,
erano prima giovanotti come Amelio. Chi sa se Linda ci
pensava. Mi prese rabbia che venisse in quel mattino.

Quando Amelio mi rese la chitarra, mi misi a suonare con calma, facendo conto di esser solo, e poco alla volta ci presi gusto e non smettevo, e cercavo i passaggi di motivo in motivo. Non so se Amelio mi capisse. Lui era di quelli che gli piace come canta una chitarra, gli piace la mano che gioca, l'abilità non la finezza. Capiva un motivo, non capiva un passaggio. Mi guardava le dita.

Un bel momento alzo la testa e vedo Linda sulla porta, col dito sul labbro, contenta.

Amelio s'era alzato sul gomito.

Cominciò subito a parlare, Linda, e disse che nessuno al mattino la svegliava suonando la chitarra e facevamo di nascosto ma stavolta voleva ascoltare anche lei. Venne al letto e guardò Amelio, gli toccò la coperta. Non disse niente del fiasco posato per terra. Io mi alzai dalla sponda perché lei si sedesse.

– A quest'ora? – fece Amelio, con la voce scurita. Ma si distese e parve calmo.

Io capii che dovevo andar via, scappare, che tanto era inutile. Linda aveva una sciarpa di seta celeste e si muoveva nella stanza come ci fosse stata sempre.

– È da un pezzo che fate baldoria? – disse brusca. – Fatene fare un po' anche a me.

Poi mi disse: – Non parli? Senti, Pablo, ci diamo del tu. Gliel'hai detto?

Amelio, zitto, si guardava in quello specchio.

– Non hai piú voglia di suonare? – disse Linda. – Vado a fare il caffè. Guarda che ascolto.

Passò in cucina. La chitarra mi pesava sul braccio. Avrei dato qualcosa per essere in cucina.

– Fa' come vuoi, – mi disse Amelio. – Se vuoi suonare suona ancora.

Allora mi sedetti sul letto e posai la chitarra. Non suonavo, la toccavo soltanto. Facevo finta di pensare e non accorgermene. Amelio si accese una sigaretta. Si sentiva in cucina toccare le tazze.

Linda gridò: – Vieni aiutarmi.

L'incontrai sulla porta e le diedi un'occhiata. Lei aveva un bicchiere per mano e mi disse di prendermi il mio. Passando mi batté il fianco nel fianco.

Quando tornai, già si parlavano. – Ti farebbe un po' meglio che il vino, – gli diceva, – se bevessi caffè.

– Senti, lasciami stare, – disse Amelio.

Poi parlarono della moto. Linda gli chiese se quel tale era venuto a vederla. – Quando l'avrò veduta anch'io, – disse Amelio, – ne parliamo.

– Sono anch'io senza un soldo, – disse Linda. – Chi sta bene è Pablo.

Mi guardava. Anche Amelio mi guardò.

– Non suoni, non parli, – disse Linda ridendo. – Non vuoi darmi del tu. Pensi sempre a far qualcosa per Amelio?

Amelio disse: – Cosa c'entra?

La chitarra l'avevo posata sul letto. Dissi di furia: – Vuoi che suoni?

Mi buttai sul motivo di prima e lo suonai come un matto. In sordina ma senza saper bene dove andava la mano. E suonando sentivo un'altra volta il motivo piacermi, era come un godere, ma sapevo che tanto era inutile, che avrei dovuto essere in strada. Mi ascoltarono senza parlare, e alla fine Linda fece una smorfia.

Amelio disse ch'era ben suonato. – Non ti vien voglia di ballare? – disse Linda togliendogli di mano il bicchiere. – Ti ricordi quel ballo da Gigi, che c'era solo la chitarra?

Amelio si animò.

– Ti ricordi, – disse Linda, – faceva un freddo che tutti tenevano il colletto voltato. Il suonatore si bagnava le mani nella grappa per resistere.

– Era ghiacciata anche la strada, – disse Amelio. – È la notte che siamo slittati.

– Roba da matti. Sotto un portico, a gennaio.

Linda raccolse un giornale da terra e disse: – Leggi tutti i giornali?

Poi disse a me: – Tutti i giornali di Torino sono i suoi. Io la guardai senza dir nulla.

– Invece Pablo è come me. Non li legge, i giornali.

– Ci perde poco, – disse Amelio.

Io non sapevo piú che fare. Non sapevo se Linda era seccata di me. Non sapevo se Amelio ci aveva già capiti. Li guardavo parlare. Avrei voluto essere via, essere a Po. Pensavo a Linda in quella stanza con lui solo.

Dissi alzandomi: – Addio. Vado a casa.

– Non vuoi piú che stia qui? – disse Linda, e mi fece occhi duri.

– Non voglio niente, – dissi brusco. – Devo andare.

– L'hai con me? – disse Linda.

Alzai le spalle e ficcai la chitarra nella fodera. L'avrei rotta in due pezzi.

– Dammi almeno una sigaretta, – disse Linda.

– Sono sul letto –. E me ne andai.

Quella mattina la finii girando a caso. Piovigginava e c'era fango. Ero in fondo a Torino, su una strada sperduta, e mi venne in mente quella notte che andavo con Linda e lei s'era fermata sulla piazzetta e aveva detto «Ma perché siamo insieme?» Chi sa dov'era la piazzetta. Mi fermai. Su quella strada non passava un'anima.

Linda invece era stata a cercarmi in negozio e mi aveva lasciato un biglietto. Diceva soltanto che, passate le lune, andassi a trovare Amelio ch'era solo. L'aveva scritto sul banco, dunque sperava di trovarmi in casa.

Io da Amelio non ci andai, e in quei giorni stetti molto in negozio. Stavo sempre sulla porta, ed eran piú le sigarette che fumavo di quelle che vendessi. Ma certe mattine di nebbia e di sole pensavo che Linda saliva le scale di Amelio, e parlavano insieme, lei gli toccava le coperte, lo baciava e abbracciava. Poi pensavo alla voce di Linda quando voleva consolarlo e gli diceva «Ti ricordi?» Forse andavano a letto anche adesso. La sera me ne uscivo con questo e con quello, un po' con Lario, un po' con gli altri, e andavo a donne, andavo al cine, non parlavo piú di Amelio e se qualcuno ne parlava stavo zitto. Ma pensavo: «Tutto questo per niente. Perché Linda è una scema». E invece capivo che non era una scema e in sostanza preferiva Amelio storpio a me che sapevo soltanto suonare come quel tale della grappa. E aspettavo, convinto che non sarebbe venuta mai piú.

Invece venne, con la faccia contenta. Entrò decisa – non c'era nessuno – e mi chiese se m'era passata. In quel momento rientrò mia madre, e Linda seria comprò i francobolli. Cosí seria che mia madre non s'accorse chi fosse. «Ecco, – pensavo, – questa è Linda». Ma poi si fece accompagnare sulla porta e mi disse che Amelio non l'aveva piú veduto. Aveva al collo quella stessa sciarpa. – Vuoi che usciamo stasera? – mi disse.

III.

Cosí tornammo a uscire insieme, e stavolta era chiaro che eravamo noi due e non piú conoscenze. Linda sapeva molti posti in collina dove uomini e donne arrivavano in macchina e costava qualcosa di piú ma si poteva esser certi che nessuno ci conosceva e né Lario né gli altri sarebbero venuti. Si ballava tranquilli e poi si stava al tavolino a discorrere. Linda mi chiese se le orchestre mi piacevano.

— Tu che suoni, dev'essere bello, — diceva. — Suoni bene davvero. Quel giorno ho capito chi sei. Perché non porti la chitarra al Paradiso?

— Sei matta. Ci mettono fuori.

— Balliamo allora.

Poi cominciammo a darci baci, quando abbassavano la luce. Linda ballava stretta stretta e mi cercava lei la bocca. Lo sapevo da un pezzo che doveva finire cosí, ma con Linda era tutto diverso. Non sembrava una cosa proibita. Starle vicino e non toccarla, non potevo.

A poco a poco andammo sempre al Paradiso. Faceva freddo tra le piante. Io pensavo a una macchina, o alla moto di Amelio.

— Qui ci venivi con Amelio? — le dissi una sera.

— Ci vengo sempre quando posso.

— Ci venivi da sola?

— Non si è mai soli in un locale.

— Senti, — le dissi, — dimmi tutto quel che hai fatto con Amelio.

Mi guardava ridendo.

— Non ti basta che siamo a ballare stasera? Non è meglio ballare che parlare degli altri? — Poi disse: — Facevo una vita agitata. Viaggiavo a Novara, a Saluzzo, a Casale. Lui mi portava con la moto qualche volta. Partivamo al mattino. Io visitavo le clienti.

Mi raccontò come l'aveva conosciuto l'anno prima. Era

andata in Riviera a portare i modelli. Aveva fatto un bagno in mare e dimenticato sulla spiaggia la sciarpa celeste. – È bellissima, – disse. – Non si trovano piú –. L'indomani era andata a vedere la corsa. Arrivò un tale lungo lungo e gli spuntava dalla giacca di cuoio una seta celeste. – Quella sciarpa è la mia –. Amelio se l'era tolta e annusata e aveva detto: – Vediamo, – poi le aveva annusato la spalla. – Ha ragione –. Cosí era stato il loro incontro.

– Non sapevo che Amelio conosce i profumi.

– Amelio è in gamba.

Quella sera ballando cercavo il profumo di Linda e avrei voluto essere al mare, essere al sole insieme a lei, e svegliarmi al mattino con lei, prendere il treno, lavorare e girare e sapere ogni cosa, quel ch'era stata con Amelio, quel ch'era stata da bambina, sapere tutta la sua vita. Linda s'accorse che le mani mi tremavano, e si fece baciare, e mi prese a braccetto tornando a sederci. – Cos'hai? – mi chiese rossa in faccia.

Tutto successe quella sera – ricordo che Linda era molto agitata. Quella sera incontrammo Lubrani. Nel locale certe volte qualcuno ci faceva un saluto, ma per nessuno Linda aveva mai gridato. Lui venne fino al tavolo, e le disse: – Sei qua.

Linda diede una voce e gli prese le mani. Io vidi appena ch'era grosso, un omaccio di sangue, con baffi e paltò. Cominciarono un gioco di botta e risposta, e finí che dovetti allungargli un saluto e il cameriere venne a prendere il soprabito.

Disse: – Lubrani, – e si sedette. Parlò con Linda e mi squadrava. Parlava lui. Linda rideva. Era di quelli che parlando sembra che facciano il solletico alle donne. Era venuto per ballare, era venuto per vedere. Per trovare qualcosa. Si toccava i capelli e diceva: «Sono grigi».

Linda gli disse che dappertutto si trova. Se lo covava a bocca aperta. Lui la guardò con l'aria dubbia. – Tu hai trovato qualcosa – borbottò dentro i baffi. – Fammi ballare questo giro.

Abbracciandolo, Linda mi mandò un saluto con la mano, e allora rimasi a guardarli, incerto, ascoltando la musica e i passi. E intanto pensavo alle piante di fuori, alla strada fredda, e tutte le sale da ballo, e chi rideva, chi godeva, chi aveva dei soldi, ma Linda era dentro la sala e fra poco tornava, e dovevamo finire il discorso di prima.

Finito il ballo, non li vedo. Poi sento la voce di Linda.
E viene lei, viene Lubrani, viene un'altra ragazza biondina,
e si siedono. Io pensavo «Questa qui cerca un pesce» e Lubrani ci disse che voleva festeggiare l'incontro e comandò
del vino bianco e del liquore. Chi aveva trovata la bionda
era Linda, e le dava del tu, la chiamava Lilí, li voleva accop-
piare insieme. Disse perfino: – Se la Clari lo sapesse –. Ma
Lubrani seduto parlava soltanto con Linda, e alla ragazza
che aspettava guardandosi intorno teneva il braccio sulla
sedia e le batteva l'altra spalla, come fosse sua figlia. Adesso parlavano dei tempi passati, quando Linda portava pacchi e scatoloni in teatro e la Clari faceva scenate.

– Povera donna, – disse Linda, – è sempre bella?

– Ho dovuto pigliarmela in casa, – Lubrani ci disse guardandomi male, come la colpa fosse mia. Per fargli piacere,
sorrisi.

– Ma ogni tanto mi scappa, – continuava Lubrani, –
vuole ancora cantare. Dev'essere a Napoli adesso.

E ci disse di bere, versò a tutti il liquore.

Suonò l'orchestra e lui si alzò, prese Lilí senza dir nulla
e cominciarono a ballare.

– Di dove schiude, – dissi a Linda, – questo merlo?

– Era il padrone del teatro, – disse lei sottovoce. – Da
bambina portavo i costumi per le ballerine. Era sempre
sulle scale a vederci passare.

– È piú scemo dell'altra.

– I suoi soldi li ha fatti. Non è poi cosí scemo.

Linda doveva avere in mente la sua idea perché le ridevano gli occhi. Non era quel po' di liquore che aveva
bevuto. Mi guardò come prima, quando insieme eravamo
tornati a sederci, e mi disse «Sta' buono» toccandomi il
braccio.

– Chi è la bionda? – le chiesi.

– Chi lo sa, – disse allegra.

Quei due tornarono a braccetto, contenti di sé. La ragazza si dava calcetti per rimettere a posto una scarpa. Lui
l'aiutava a stare in piedi.

– Qui non si beve e non si balla, – gridò subito, fermandosi. – Non conosco piú Linda.

Cominciava a seccare. Io questi tipi li ho veduti andare
in terra al primo pugno. Ma in quel locale non ero ben sicuro di me. Dissi invece: – Si sta bene anche soli.

Lubrani allora rise forte, di gusto, con quegli occhi apoplettici. Rise anche l'altra, per tenergli compagnia. Si sedettero, e pace.

Cosí passò tutta la sera; anche Lilí divenne allegra. Raccontò che di giorno lavava e tosava dei cani, li pettinava e profumava e li portava a domicilio.

– Se son maschi, apri l'occhio, – disse Lubrani.

Ma Lilí non capiva lo scherzo, dava troppo sul biondo. Io li lasciavo chiacchierare; bastava Linda a dar risposta. Di tanto in tanto ballavo – se era Linda le tenevo la faccia all'orecchio e dicevo «Sei tu». Finalmente tornando da un ballo con Lubrani, Linda disse: – Ce ne andiamo?

Fuori era freddo e si sentiva la collina. Gocciolava. Lilí disse: – Era meglio restare.

Salimmo invece sulla macchina di Lubrani. Un macchinone. – Si va a casa a finire la festa –. Mi ero ficcato accanto a Linda e le strinsi la mano nel buio per dirle che avevo capito.

Lubrani stava in un alloggio sulla torre Littoria. Ci portò in una stanza che ricordava il locale di prima. C'eran le lampade nascoste dentro i muri e un grosso tavolo di vetro. Mise il grammofono e ci diede da bere.

Mi sedetti con Linda su un sofà basso. Di ballare ero stufo. Lubrani e Lilí ballarono per un poco in mezzo alla stanza. Sembrava fatta per quei mobili, la bionda, piú di Lubrani che muovendosi tremava il pavimento.

– Se non piovesse, – disse Linda, – di qui si vede tutti i tetti di Torino.

Poi Lilí cominciava a scappare e Lubrani a rincorrerla. – Spegni la luce, – disse Linda.

Bevemmo ancora. Quella Lilí rideva forte, come fosse un galletto. «Povera diavola, – dicevo, – che si diverte proprio tanto?» Si accucciarono insieme in un angolo. Li sentii che soffiavano, e nel buio la mano di Linda prese la mia.

– Cosa vuoi? – dissi mezzo ridendo.

Stavo lí lí per dirle piano «Chi sa Amelio a quest'ora». Ma non lo dissi e l'abbracciai e fu finita.

Quando mi alzai non vidi nulla e avrei voluto essere solo. La finestra era appena piú chiara del resto. Misi la mano sulla fronte di Linda e rimasi seduto.

– Qualche cosa non va? – disse lei, senza muoversi.

Le diedi un bacio e mi rimisi disteso.

Dopo un poco sentiamo Lilí che ci chiama. C'era Lubrani dentro il bagno che sputava e sudava. Non stava dritto e si afferrava al lavandino, e Lilí non riusciva a tenerlo. Anche là dentro c'era vetro e maioliche e luci. Dissi a Lilí: – Questo bestione. È un'ingiustizia –. Lei mi guardò con la faccia stupita, nemmeno se l'ignorante fossi io. Ma poi ridemmo e gli ficcammo il testone nell'acqua, e, finito, Lilí uscí dal bagno col suo passo di ballo. Lasciai Lubrani seduto sul cesso, che fissava per terra e inghiottiva, e ritornammo nella stanza. Linda disse: – Stiamo un poco a fumare.

Non conoscevo piú la stanza, nella luce. Mi pareva di essere stato chi sa dove, e Lilí che fumava, Linda che stava zitta, i bicchieri rovesciati sul vetro, tutto era diverso. Senza volerlo, guardavo di sfuggita il sofà, quei cuscini buttati, le gambe di Linda. Nessuno parlava.

Lilí disse: – Viene giorno.

– Dammi da bere, – disse Linda.

Io mi sentivo nella bocca il suo sapore. Senza dir nulla presi un sorso, poi le tesi il bicchiere. Lei mi guardò con gli occhi scuri, se la rise da sola, e bevette.

Non era giorno ma era tardi. Sentimmo sbattere una porta, e un grosso passo. Comparve Lubrani. Era tutto imbrodato, si appoggiava alla porta. Ci guardò con gli occhietti cattivi.

Lilí buttò la sigaretta. Lubrani ruttava, dondolò nella stanza e finalmente arrivò a una poltrona.

– Bisogna lasciarlo dormire.

Allora Linda saltò in piedi e disse a me: – Tu accompagna Lilí. Lo metto a letto e vado a casa. Sto a due passi.

Lilí non voleva saperne. – Andiamo tutti. C'è solo una chiave.

– Resta anche tu, – le disse Linda, – domani vai dritta al negozio.

Allora dissi: – Fate ridere. È soltanto ubriaco. Si sveglia domani.

Uscimmo insieme, sotto i portici vuoti. Linda venne con noi per due isolati – si sentivano i passi sul lastrico. Poi disse: – Ci sono.

Se ne andò nella nebbia. Io presi Lilí sottobraccio. Andammo un pezzo senza dire una parola. Traversammo i giardini, traversammo la Dora.

– Com'è, – disse infine Lilí, – lui che ha la macchina è già a casa, e noi ci tocca camminare.

Non era mica scema, Lilí. Veniva saltellando, e capiva perché stavo zitto. Capiva perfino che volevo star solo. Si fermò e disse: – Senta. Non s'incontra nessuno. Sono avvezza di notte.

– Andiamo avanti, – dissi duro.

Poi scherzammo e parlammo di Linda. Lilí l'aveva conosciuta al Paradiso. Non mi disse con chi, e non glielo chiesi. Ero troppo intontito. La lasciavo discorrere. Ma le chiesi perché andava cosí da sola sul ballo.

– Perché vado? – mi disse stupita.

Se le piaceva proprio tanto ubriacarsi con Lubrani. – E domani il negozio, – le dissi. – E dormire?

Lilí saltava e mi teneva stretto il braccio.

– Avrò tempo a dormire da vecchia.

Cosí arrivammo al capolinea. Era quasi nei prati. Lilí guardò in su e disse grazie. – Non è la casa di Lubrani, si capisce.

– Fra due ore è mattino, – le dissi.

IV.

Se fosse stato stagione, facevo il mattino in quei prati.
Ero contento di esser solo e avevo sonno. Camminai per
mezz'ora e incontrai soltanto carri. Si sentivano nella nebbia, poi compariva la lucerna a fior di strada. Camminando
pensavo: «Nessuno direbbe ch'è successo stanotte». Non
ci dovevo piú pensare. Mi venne in mente se nel buio fosse
stata Lilí.

Finii la notte nel caffè della stazione. Tutte le strade erano vuote. Non c'era di aperto che quello. Qui la nebbia era
il vapore della macchina espresso, e un odore piú freddo
che veniva da fuori. Era odore di carbone e di treni. Dio,
mi piaceva in quel mattino. Tutti dormivano, anche Linda.
Guardavo i vetri e la tettoia aperta dove doveva uscire il
chiaro. Se avessi avuto la chitarra.

Quando fu giorno, andai da Amelio. Altro da fare, fino
a sera, non avevo. Ci andai per dirgli tutto quanto e stare
in pace. Mi ficcai per le scale. Trovai chiuso.

Venne aprirmi la madre. Io pensavo: «Se ci sento il profumo di Linda è finita». La madre usciva e disse brusca:
– Ce n'è un altro –. Allora Amelio la chiamò, si parlarono
dalla cucina, e lei – Dice di entrare, – mi disse. Era piú
presto quel mattino. La vecchia uscí tirando l'uscio.

Nella stanza, sul letto d'Amelio, era seduta una ragazza
magrolina. Aveva un brutto impermeabile e un berretto
alla basca. Non era un tipo da farci l'amore, sembrava di
quelle che trottano alla scuola serale. Mi guardò chiudendo
gli occhi, senza muoversi, e anche Amelio, appoggiato al
cuscino, disse appena: – Sei tu.

Feci finta di ridere e dissi: – Vi lascio tranquilli.

La finestra era chiusa, le coperte in disordine, i giornali
dappertutto e per terra. La ragazza aveva in mano dei fogli
di carta. C'era un odore di letto.

– Bevi sempre? – gli dissi.

Amelio fece – caso strano – una risata, ma solo il gesto della faccia, non la voce.

Mi chiese: – Hai dormito stanotte?

– Si vede? – dissi, e se non fosse stata l'altra era il momento che potevo dirgli tutto. Forse qualcosa avrei cambiato, chi sa. Forse avrebbe scrollato le spalle. Forse sarebbe stato zitto. Io al suo posto, non so. Ma lui mi guardava con quell'aria affamata, e sapevo che Linda non era piú tornata a trovarlo.

La ragazza dal basco aspettava, guardandosi le unghie. Mi venne in mente la chitarra e se Amelio l'avrebbe ascoltata. Non potevo guardarlo.

Dissi allora: – Ho girato Torino stanotte. Vengo dalla stazione. Ho conosciuto una ragazza che profuma i cani e li pettina. Siamo andati in collina...

Non dicevano niente. La ragazza si mangiava un'unghia. Anche Amelio aspettava.

– ... Ho conosciuto un ignorante che gli è scappata la moglie e lui paga da bere ma non da mangiare. Ha la Lancia... E tu quand'è che esci dal letto? Vuoi fumare?

Mi guardavano sempre.

– Allora, – dissi, – vi lascio tranquilli.

– Va' a dormire, poi fumi, – mi disse Amelio.

La ragazza era lí per alzarsi – sembrava una scolara – ma vidi Amelio farle segno e lei restò. In cucina mi parve di sentirmi chiamare, ma era Amelio che parlava con l'altra. Sentii chiudermi l'uscio alle spalle.

Poi in negozio ci fu discussione con mamma e sorelle. Era toccato a Carlottina stare al banco. Ce l'avevano su per quella notte. Carlottina sapeva che ero andato a ballare e con chi. Non le risposi e mi buttai sul letto.

Linda quella sera venne al caffè. Non mi chiese se avevo dormito. Non chiese niente e fumava nell'angolo. Guardava me come guardava il fumo.

Quando le dissi di ascoltarmi, non si mosse. Lasciò che parlassi. Guardava il fumo e mi ascoltò fino alla fine.

– Non ti basta che siamo insieme? – disse.

– Voglio fare quattrini.

– Non sei nato per fare quattrini.

– Nella vita che faccio, – le dissi, – ho bisogno di molti quattrini.

– Se cercassi i quattrini, – mi disse, – ti basterebbe il negozio. Tu non cerchi i quattrini.

– Che cosa cerco?

Allora Linda alzò le spalle, con quel broncio che sapeva far lei.

– Cos'hai fatto quest'oggi? – mi chiese tranquilla.

– Amelio, – dissi, – era capace di far quattrini?

– Lascialo stare, – disse Linda.

– Sono andato a trovarlo.

Allora Linda mi guardò.

– Sta meglio?

Alzai le spalle.

– Sono andato stanotte rientrando.

Linda schiacciò la sigaretta e disse adagio: – Perché fai queste cose?

Le presi la mano. – Non questa notte, stamattina, – dissi. – C'era gente con lui.

– Gliel'hai detto?

Strinsi la mano e dissi: – No.

– Volevi dirglielo?

– Non so, – le risposi. – Non so che cosa dovrei dirgli. Lui di te non mi parla. Tu non mi hai detto se vi siete mai toccati.

– Se mi avesse toccata, – disse Linda guardandomi, – cambierebbe qualcosa?

Allora feci come lei. Dissi: – Che cosa?

Linda guardò un momento il tavolo. Poi disse brusca: – Andiamo via.

Dopo un po' ci sedemmo in un altro caffè.

– Perché mi dicevi che non so far quattrini?

– Perché non li fai.

– Basta darsi a un lavoro.

– Un lavoro non basta. Ci vuole passione.

– Non voglio mica diventare milionario. Mi basta portarti a ballare.

– Lo vedi che non cerchi i quattrini?

– Sono stufo della vita che faccio, – le dissi. – Vorrei avere anch'io una moto e girare con te.

– Vuoi buttarmi in un fosso.

Mi guardò con quell'aria.

– Tu hai la chitarra, – disse. – Perché non provi a suonare in orchestra?

– È come dirlo.

– Non m'intendo di musica, – disse. – Non so cantare

né suonare. Ma tu sei Pablo e tutti dicono che sei nato per
questo.

Quella sera non andammo a ballare. Parlammo invece
della notte prima, e di Lilí che al Paradiso andava sola.

– Quella i quattrini li farebbe, – disse Linda, – se potesse.

– Le scarpette da ballo le ha carine.

– Quella? Non mangia per comprarsi le scarpette.

Allora le chiesi perché tra ragazze si odiavano tanto. Linda rideva e disse svelta: – Sai anche le scarpette che porta.
Vi siete baciati?

– Le somigli, – diceva. – Cerchi anche tu di far fortuna.

Mi venne in mente l'anno prima, che passavo le sere a
girare con gli altri e poi cantare all'osteria. Cos'è un uomo,
dicevo. Quanto tempo è passato; sembra ieri.

– Cos'hai da ridere? – mi chiese Linda.

– Penso a quel che direbbero quelli del corso se facessi
fortuna.

– Una fortuna l'hai già avuta, – disse Linda.

Ci guardammo.

– Non ti basta?

– È la stessa cosa, – dissi. – Vengono insieme, queste
cose. Questa mattina alla stazione ero contento. Non sarei
piú rientrato a casa.

Linda disse: – Ti monti la testa.

Poi disse: – In quanti posti sei andato stamattina?

– Lo sai chi c'era, – dissi allora, – stamattina? Sei tu che
gli mandi le donne?

– Che donne?

Le raccontai la ragazza dal basco. Linda scosse le spalle.
– Sono i pasticci che Amelio combina. Lascia perdere.

– Era brutta.

Linda mi disse: – Vuoi che usciamo?

Allora uscimmo. Per la strada mi disse: – Stringimi il
braccio ché fa freddo –. Cosí andavamo stretti stretti, e le
parlavo nei capelli. – Andiamo ancora in qualche posto, –
dicevo.

Linda taceva e mi stringeva il braccio. – Camminavi cosí
con la bionda? – disse. Io cercavo di fare i passetti perché
quella strada durasse di piú.

Poi fummo in piazza e si fermò. – Andiamo ancora in
qualche posto, – dissi piano.

Linda disse: – Non sai dove sto? Se mi prometti di andartene subito, vieni a trovarmi.

Cosí salimmo quella scala e avevo il sangue che batteva. La baciai molte volte e ci fermammo nel buio. Lei disse: – Saliamo.

Aprí la luce in una grande anticamera vuota. C'era odore di stoffa e soltanto un armadio. – Qui di giorno lavora la sartoria, – mi disse. Spense la luce e dalla vetrata in fondo venne il riflesso leggero dei lampioni. – Vivo in una stanza che è come una scatola –. Traversammo la lunga anticamera buia, e aprí una porta e accese dentro. Entrai dopo di lei.

Quella notte mi disse che bisogna esser calmi e non dipendere dagli altri. Da nessuno. – Dunque vedi, – le dissi. – Madre e sorelle sono un'altra cosa, – disse lei. – Non bisogna montarsi la testa –. E mi disse che Amelio era un uomo che mai si montava la testa. Per questo era riuscito a farsi la moto. – Si può anche ubriacarsi, – mi disse, – si può andare dovunque. Ma poi se hai casa torna a casa. Tu hai la chitarra, – diceva, – e il negozio.

– Vale la pena? – dissi. – Vedi che Amelio ha perso tutto.

– Lascialo stare, tu non sai chi sia, – diceva. – Amelio è in gamba, sta' tranquillo. Ma nemmeno con lui devi montarti la testa. Non deve farti pena –. Io le chiesi perché non voleva ammettere che era stata la ragazza di Amelio. – Perché no, – mi rispose. – Stavamo insieme ma eravamo come adesso.

– Gli hai veduto che gambe ha adesso?

Linda mi strinse con le braccia e non parlò.

Dissi piano: – È venuto qui da te anche lui?

– Se ne fan tante, – disse Linda. – Credi che lui, se fosse in te, ci penserebbe?

Poi mi diede anche il tè, che scaldò sulla piccola stufa. Era l'unica luce nella stanza quel riflesso rosso della stufa. Quando uscii non accese la luce. Mi abbracciò sulla porta e disse piano: – Domani al caffè.

Anche stavolta era mattina. Non si vedevano ancora i tram ma si sentivano lontano. Faceva un freddo da montagna, i lampioni ballavano al vento. Guardando la torre Littoria, pensavo a quell'altro e se gli era passata. Forse si era di nuovo sbronzato. Quante cose succedevano in quei palazzi. A quest'ora anche Linda si era addormentata. Cosí contento non sarò mai piú, gridai tra me come parlassi. Ma la piazza era vuota e avrei potuto anche urlare.

Alla stazione non ci andai stavolta. C'era un caffè già mezz'aperto, in via Milano. Mi ficcai dentro. Avevo sonno ma era bello fumare pensando a stanotte. Presi del latte per scaldarmi e sostenermi. Poi ci misi un grappino.

Cosa c'è di diverso, pensavo, da quando eravamo ragazzi. C'è che si gira e che la casa è dappertutto e in nessun luogo, come al catechismo. C'è che adesso si beve il grappino, ma il latte è ancora quello. Chi sa se a Linda piace il latte. Poi pensavo che Linda come tutte le donne doveva averci il latte dentro. Mi venne in mente che il bambino succhia il latte di una mamma che ha fatto l'amore. E che strilli se non gliene dànno. Me la ridevo in quel caffè.

Poi entrarono facce bruciacchiate dal freddo. Una donna, due donne dal grembialone di cuoio, verduriere dei banchi, che anche loro prendevano grappini o il caffè con la branda. Un facchino, dei pezzenti, che battevano i piedi. Erano facce come tante del corso. Cominciò a far chiaro.

Andando a casa ripensavo a quelle facce. Chi lavora e chi no, dicevo. Serve a qualcosa lavorare quando un facchino e un miserabile qualunque hanno alla fine l'identica faccia? Tra chi non sa dove dormire e chi va in piazza avanti giorno, non c'è una grossa differenza. Hanno i geloni tutti e due.

Sta' a vedere che ha ragione Linda, dicevo. Non son nato per fare quattrini. In fondo al corso si vedeva la montagna. Ma Linda dormiva, e in montagna c'era andata con Amelio quella notte cosí fredda che c'era solo la chitarra e si scaldavano le mani con la grappa.

Avevo freddo a camminare. Siccome tagliavo davanti alle Nuove, mi ricordo che diedi un'occhiata a quei muri pesanti e dicevo: «Chi sa se le celle le scaldano?» Poi ti vedo un furgone davanti al cancello e quei tali che aprivano. Quasi quasi fui lí per fermarmi. Non avevo mai visto andar dentro. Quante cose succedono. «Mettono dentro anche a quest'ora, – pensai fino a casa. – Chi sa se in prigione si può bere del latte».

V.

Uscii con Lario, in quei giorni, un pomeriggio e una sera.
Il pomeriggio andammo insieme in bicicletta a San Mauro;
doveva portare dei ferri a un cliente. Era un sabato, perché
Lario era libero. Ero libero anch'io perché Linda quel giorno mi aveva detto: – Voglio starmene sola, va' via. Ci vediamo domani.

Lario capiva che qualcosa era successo e quando a Sassi
gli feci una fuga mi tenne dietro zitto zitto e non chiese il
perché. Mi sfogai come un matto a sudare in quel fresco e
provare se ancora ero in gamba. Cosí tra Lario che insegui-
va e la strada che avevo davanti, mi lasciai dietro quel pen-
siero e la giornata e già pensavo all'indomani. A San Mauro
ci mangiammo del salame seduti sull'argine, e guardavamo
le colline scure dove Lario diceva che suo nonno era andato
a caccia con Don Bosco, ma a me piaceva di piú il Po e me
lo godevo e non dicevo che quell'acqua era passata da Torino. Cosí il sole andò sotto e Lario disse: – Se io sapessi
suonar la chitarra, suonerei giorno e notte. – Io no? – gli
feci. – Non c'è mattina che non studi una mezz'ora.

– Non ti sente nessuno, – mi dice, – e che cosa ti ren-
de?

Intanto al freddo tornavamo verso casa. – Sai, – mi dice, – alla tampa si sono lamentati. Perché non vieni piú
con noi?

Lario è uno che parla tranquillo. Poi sta zitto e ci ripen-
sa. È testardo.

– Non mi dirai che vai da Amelio anche di notte.

– Di notte giro per Torino.

Stavolta ero allegro. – Vado a spasso suonando e cantando, – gli dico, – poi faccio il giro col cappello e prendo
i soldi.

All'osteria ci andai quella sera con Lario e chitarra. Non
mi aspettavano e non fecero baccano piú del solito. Quasi

tutti tornavano allora da ballare e ci fu chi mi diede un pugno sulla spalla e diceva: «Se c'eri tu, suonavi meglio di quei tali».

Ci sedemmo a discorrere e la lite era tra chi nel ballare sta a sentire l'orchestra e chi nemmeno s'accorge che suonino. Li lasciai litigare e alla fine dissi che anch'io quando ballo m'importa soltanto la donna, e la musica è meglio sentirla da fermo. Intanto imbracciai la chitarra e giocavo di mano e ascoltavo i discorsi.

Non l'avrei detto, il giorno prima, che mi sarei seduto ancora a quel tavolo, e pensavo che in questo ero come Amelio, ch'era venuto qualche volta all'osteria per passare una sera disoccupata quando Linda non era con lui. E stavo zitto come lui, ma ci pensavo. E lo vedevo uscir di casa con le grucce e incamminarsi e traversare e arrivare al negozio. Avrebbe detto «Questa sera», fermo sull'uscio, per non fare lo scalino. Avrebbe chiesto a Carlottina: «Dov'è Pablo?» Saremmo entrati all'osteria come stasera. E mi vedevo la sua faccia farsi smorfia, la sigaretta penzolare, e allungare la mano e menarmi una nocca sul mento come a un cane. «Fatti furbo, – avrebbe detto, – va' via».

Poi pensavo se Linda fosse stata con me questa sera. Lui non l'avrebbe mai portata all'osteria in mezzo a noi. Mi venne rabbia di pensarci anche stasera, e dissi agli altri che giocavano a scopa: – Pablo ha sete.

Lario e Martino mi ascoltavano appoggiati alla finestra. Suonai prima qualcosa di svelto per farmi la mano. Venne il vino. Ne bevemmo noi tre. Chelino disse sulle carte, voltando la schiena: – Fate bere anche noi.

Io la chitarra non l'avevo piú toccata da quel giorno di Amelio. Ma sapevo già tutto quello che avrebbero detto. Sapevo che quando si sarebbero messi a cantare, qualcuno dal tavolo avrebbe gridato «O si gioca o si canta»; poi Chelino avrebbe detto la sua, poi gli altri; poi sarebbe venuto ancora del vino. Sapevo già tutto. Avrei voluto esser già sbronzo e buona notte.

Dopo un po' che suonavo, li ebbi tutti al mio tavolo. Pensavo a Linda e alla sua idea dell'orchestra: «Se gli chiedessi quattro soldi a questi qua, mi darebbero il fiasco sul cranio». Non è un mestiere che si paga, la chitarra. Non è niente. È un passatempo che mi prendo quando non c'è Linda. Mi sentivo una pena come un brutto pugno nel fiato, e suonavo per farla passare, e bevevo per farla tornare,

e avrei voluto alzarmi in piedi, uscir dal chiuso e camminare fino a giorno.

Ma la strada piú corta era ancora sbronzarmi. Tutti parlavano, vociavano, e tacevano soltanto se attaccavo un motivo che nessuno sapesse. Ascoltavano un momento e poi
dicevano la loro. Solo Martino ch'è un ragazzo, stava contro la finestra, e ascoltava per tutti.

« Quello è un povero diavolo che farà la mia fine, – dicevo, – chi sa chi sarà la sua Linda ». Ma gli vidi la mano sul
mento, dalle dita pesanti e ancora nere di tornio, e capii
ch'era un altro destino. « Se nasceva al mio posto, – dicevo,
– era a lui che toccava. Ora è fatta ». Alzai gli occhi e il bicchiere, e gli feci una smorfia. Come Amelio con me. Lui mi
rispose con gli occhi.

Nessuno parlava di Amelio. Nessuno era piú andato a
trovarlo. Non mi chiese nessuno se l'avevo visto. Mi scher-
zarono invece su Linda; nessuno sapeva il nome ma l'avevano vista con me in fondo al corso. Fui io che dissi: – Lascia andare. C'è nessuno che sappia dove cercano un buon
chitarrista?

– Noi l'abbiamo per niente, – disse Chelino. – Chi vuoi
che spenda per sentire una chitarra?

Sentirglielo dire mi fece una rabbia. – Fossi un napoli,
– disse qualcuno, – potresti andare a Marechiaro.

– Ma che suoni vi piace, – fece Lario di brutto. – Quando Pablo non viene, gli leggete la vita.

Io lasciai che gridassero; sapevo cos'era. Mi misi invece
a pizzicare « tarantella tarantella » e dopo un poco tutti mi
venivano dietro. È bello questo del suonare: vedi la gente
che non vuole, e la tiri lo stesso. È anche bello se smetti e
ti dicono « Dài ». Poi fai finta di averne abbastanza. È un
mestiere da comico. Ma c'è sempre qualcuno che dice di
sí, che gli piace sentire; poi nemmeno ti ascolta, e pensa a
tutt'altro. Se non lo prendi in giro subito, stai fresco.

Ci dormii sopra, e l'indomani quando Linda comparve
sull'angolo, non ero tranquillo. Quasi quasi era meglio a San
Mauro. Ma la vidi contenta, e mi rivenne il sangue in corpo. Linda mi disse che Lubrani ci aspettava a colazione.

– Come faccio? mi aspettano a casa.

Allora Linda mi trattò come un bambino. – Stai fuori la
notte, – mi disse, – non puoi stare quest'oggi? Io l'ho fatto
per te. Vuol sentirti suonare.

– Ma non è mica un'osteria, casa sua.

Linda disse: – Sei stupido –. Poi mi disse che Lubrani aveva in casa chitarre e ogni sorta di strumenti.

Telefonammo al bar del Corso che avvertissero a casa. Mentre si apriva l'ascensore dissi a Linda: – Gli è passata la sbornia? – Stai zitto, – mi fece.

– Non c'è mica altra gente?

– Macché.

Venne aprirci una bella ragazza, che disse: – S'accomodi. Ci portò in quella stanza di prima. Mi tornò in mente tutto quanto. Era impossibile. Non capii perché Linda che con Lubrani si dava del tu, stesse ancora con me. Linda andò al finestrone, era largo come una vetrina, e guardava sui tetti.

Lubrani venne, era vestito chiaro chiaro; non fossero stati quei baffi e gli occhiacci, sembrava un giovanotto anche lui. Bevemmo il liquore, mangiammo sul vetro; Linda mangiava e raccontava, lui rideva e mangiava; quell'altra ragazza non si fece vedere, tutti i piatti eran già apparecchiati. Volevo chieder di Lilí, poi mi trattenni. Stamattina Lubrani era meno bestione; ascoltava anche i miei discorsi; passava i piatti con garbo.

Non si parlò della chitarra. Parlammo invece che doveva andare a Genova in quei giorni, e Linda gli chiese: – Con l'auto?

Alla fine del pranzo mi chiamava Pablito, e ci disse: – Quest'oggi si fa una scappata?

Cosí salimmo sulla Lancia e ripeteva: «Con due ragazzi come voi mi sento un altro».

– Andiamo ai laghi d'Avigliana, – disse Linda.

Andammo ai laghi. A metà strada, nella nebbia, dissi a Linda: – È su quel paracarro che vi siete ammazzati –. Lei fece una smorfia.

– E la chitarra? – disse subito.

Ne parlò con Lubrani che ascoltava e guidava.

– Ne troveremo sul lago, non c'è che chitarre.

Senza voltarsi poi mi disse: – So che voi musicanti non volete cambiare strumento.

Linda disse: – Sciocchezze.

Io quella strada la facevo in bicicletta l'anno prima. Scendemmo in piazza, e ci guardavano. Entrammo al caffè con Lubrani davanti. Io pensavo a San Mauro.

Lubrani volle una bottiglia di barolo. Avevamo salito una scala di legno, e si stava di sopra, in un salotto coi ten-

daggi, dove c'era un sofà e il caminetto. Non si sentiva piú
le voci della sala dabasso.

Era ancor presto, ma sembrava che piovesse, alla finestra. Si travedeva un grosso quadro sopra il muro, di una
donna vestita da Napoli, che pareva una mora e rideva e
aveva l'aria di ballare, mano al fianco. Linda disse: – Chia-
miamo perché accendano il fuoco.

Mentre il ragazzo si voltava a guardarci, noi bevemmo
e Lubrani mi disse: – Tu sei giovane, Pablo, e non sai che
tre nasi sono quel che ci vuole per bere il barolo.

– Non lo so, – dissi asciutto.

– Ma com'è buono, – disse Linda.

Quando il ragazzo se ne andò, mi sentii meglio. Invece
Linda passeggiava per la stanza e sembrava ballasse e teneva il bicchiere levato. Poi si buttò sul seggiolone, senza
spargerne.

– Adesso Linda ci racconta qual è il vino da bere facendo l'amore in un giorno d'inverno. Sono cose che solo le
donne capiscono. Linda, in un giorno come questo, con la
neve.

Linda buttò la testa indietro e disse pronta: – Quel che
si ha sottomano.

– Ah no, non ci truffi. Rispondi.

– Se il barolo lo bevono in tre, – disse Linda, – beviamo
il barolo.

– C'eri già stata, – chiesi a Linda, – in questo buco?

Alzò le spalle. Lubrani mi disse: – Linda è già stata dappertutto.

In quella luce faticosa dei vetri, levavo la testa e mi vedevo sempre il quadro. Adesso i riflessi del fuoco gli davano un'aria piú ballerina. Linda guardò dove guardavo e
sobbalzò. – La chitarra.

Suonammo e comparve il ragazzo.

Lubrani gli fa: – Una chitarra.

Quello aspettava e non capiva.

– Vacci a cercare una chitarra. Ci sarà una chitarra.

Ci guardò spaventato.

– Voglio suonare la chitarra, – gridò Lubrani incaro-
gnito.

Dovette uscire sulla scala per spiegarlo alla padrona.
Linda batté la sigaretta e mi guardò. Le vidi il riflesso del
fuoco negli occhi. Non feci a tempo che rientrò Lubrani.

Era ancor presto, e venne sera in un momento. Era bello

guardare la fiamma. Stavo in piedi vicino alla tenda, sentivo il freddo che filtrava e mi pareva di esser fuori e pensare alla scena di quei tre che bevevano. Ma Lubrani parlava anche a me. L'aveva ancora con la storia del barolo.

– Viene un'età che fa piacere stare insieme a voialtri. Chiudersi insieme e stare in tre dentro una stanza. Fate pure, bevete allo stesso bicchiere, – diceva. – Sono giochi che piacciono. Si sta insieme e si ride una volta.

Linda rideva e gli diceva: – Bevi tu –. Gli passava il bicchiere e Lubrani beveva. Si sporgeva e beveva per non perder la goccia, poi glielo dava con l'inchino che si fa per un ballo e anche Linda beveva, ridendo.

– Tu, Pablito, ci guardi dall'alto, – disse Lubrani, – tu non sei come me, – e si toccava la testa. – Conosci Linda, sí o no?

– Linda è peggio del boia, – diceva. – Lei ci sotterra tutti quanti, vecchi e giovani. Linda ha di bello che ha dei gusti da signora.

Linda si alzò e mi venne accanto, alla finestra. Mi buttò le due braccia sul collo, e mi disse sugli occhi: – Non vieni a sederti? – Fece il gesto di farmi ballare. La seguii, ci sedemmo, e Lubrani parlava, ma Linda mi mise la bocca vicina. Poi rimanemmo là seduti, nell'ombra.

Lubrani disse molte cose, bevendo il barolo. Gli ballavano gli occhi alla fiamma, ma non era ubriaco. Gli piaceva proprio vederci abbracciati, e si leccava le labbra, discorreva con noi quant'è bello essere insieme in libertà dentro una stanza.

– Questi alberghi d'inverno, in provincia, – diceva. – Posti tranquilli, posti onesti. Ma che Venezia, che Riviera. Qui si gode la vita e si beve. Ah Pablito, va in tanta salute. Ma bisogna saperlo...

Finalmente arrivò la chitarra. Lubrani volle del caffè. – Per gustar meglio.

Venne il caffè e venne del vino. – Accendiamo la luce?

– Non c'è bisogno –. Non mi mossi. Accordai la chitarra. Linda si mise un po' discosto e mi ascoltava.

Suonai difficile, da studio. Quell'accidenti mi capiva. Dopo un poco fu lui che mi diede la nota. Io stavo attento a non farli ballare. Sentivo Linda che muoveva il piede. Ogni pezzo finito, dicevano «Bravo» e Lubrani allungava il bicchiere.

– Hai talento, – mi disse nel buio.

Feci conto che Amelio stesse a sentirmi. Le variazioni sulla fiamma erano facili. Ogni tanto coprivo un passaggio. – No, – diceva Lubrani, – vuoi fregarci.

Come succede, dopo un po' la chitarra la prese lui. Senza impegnarsi, si scaldò le mani. Mi diceva «Sai questo, sai quello?» Provò la Paloma. Provò Cielo e Mare. Ma la mano era pesante, si sentiva. Linda disse: – Adesso smettetela.

Cosí finimmo quel barolo e uscimmo in piazza, con le stelle. Era inteso che avremmo cenato sul lago. «Dopotutto è domenica» dissi.

Facemmo in macchina il giro del lago a passo d'uomo. Linda diceva, non a me, – Quant'è bello –. Anche Lubrani si voltava a vedere le canne, e la nebbia sull'acqua. Faceva freddo, questo sí. C'era vento di neve.

Lubrani guidando parlava di Genova. – Sai chi vado a vedere? – Disse un nome come fosse Ferrero o Carletto, e Linda subito mi uscí di mano. Gli batté i pugni sulle spalle e gridò: – Anch'io. – Perché no? – disse lui, – si va tutti.

Parlarono molto di questo Carletto, e cenammo; poi tornammo a Torino e finimmo la notte al Paradiso.

VI.

In quei giorni, ricordo, mi svegliavo di colpo; pensavo a Linda e mi pareva di avercela accanto. Ma poi stavo nel letto occhi chiusi e pensavo a tutt'altro; mi pareva di averci un grosso affanno e di essere come un bambino, piú solo di un cane, aver fatto qualcosa di brutto e di senza speranza. Non avevo piú scampo, non osavo sentirmi, avrei voluto non svegliarmi e morir lí. Neanche l'idea che se un giorno avessi avuto Linda accanto l'avrei presa, mi bastava. Mi facevo pietà, quest'è il fatto. Ero come un bambino che mettono nudo sul tavolo e poi mamma e sorelle se ne vanno di casa. Nascondevo la testa e mi affannavo.

Credevo fosse la stanchezza. Quasi sempre, a non muovermi cosí da quel letto, m'immaginavo di esser storpio come Amelio e non potere uscir mai piú, come quando si prova a chiuder gli occhi e fare il cieco. Poi mi sentivo camminare sulle grucce, mezzo morto. Mi toccavo le gambe e pensavo a Linda, pensavo a quel giorno che Amelio s'era tutto scoperto. «Cos'ho fatto» dicevo. Avrei spaccato la chitarra contro un muro. Avrei voluto essere un altro e sparire.

Andammo a Genova un mattino, in macchina. A casa dissi che ci andavo per lavoro, per conoscere gente – qualcuno voleva sentirmi – e la chitarra è questione di farsi sentire. «Perché non prendi la chitarra? – mi dissero. – È un brutto viaggio» diceva mia madre. Mi misero in tasca un biglietto da cento. Mi vestii grigio, con la sciarpa, e andai felice.

Linda era rossa e raffreddata: viaggiò sepolta sotto un mucchio di coperte. Io stetti avanti con Lubrani e gli diedi una mano alla guida. Di tanto in tanto mi voltavo e gettavo un'occhiata. Lubrani disse: – Non la perdi, stai tranquillo –. C'era un bel sole e un freddo asciutto, che facevano cantare la strada. Cantavo anch'io sottovoce, e alla prima fermata pagai i caffè. Risalendo, andai dietro con Linda.

– Ci aspetta Carletto? – gli chiese.

– Puoi dirlo. È in bolletta.

Questo Carletto era un attore che un giorno aveva lavorato nel teatro dove Linda portava i costumi. Doveva essere giovane e simpatico e in gamba. Lubrani diceva: – Chi è troppo furbo, si fa fesso –. Io chiesi a Linda sottovoce: – Quanta gente conosci? – Tanti, – mi disse, – io non perdo nessuno. Sono amica di tutti.

Stavo attento a non farle capire ch'era il viaggio piú lungo che avessi mai fatto. Chi avevo visto, conosciuto finora? In che posti ero stato? Certi giorni, a pensare quanta gente c'è a questo mondo, anche poveri diavoli che nessuno conosce, mi veniva una voglia di andarmene a spasso, di saltare sopra un treno, che quasi gridavo. Che chitarra, dicevo. Che sale e tabacchi. Fa la vita di Amelio. La vita di tutti.

Sulle colline dopo Novi ci fermammo a sgranchirci. Stetti un poco nel sole, c'era un'aria piú libera. Anche le piante erano piccole e contorte, non ne avevo mai viste cosí. Linda mi chiese: – Dove siamo?

Arrivammo affamati e contenti. Lubrani scese in un caffè a cercar Carletto. Era pieno di sole, di gente e di fumo. Chiesi a Linda che beveva il caffè: – Dov'è il porto? – Lei mi disse: – Sull'acqua.

Poi uscimmo a pranzare e m'accorsi che in fondo a una strada era vuoto, sembrava il cielo visto dietro una collina. Era quello – un colore leggero. «Tanto basso?» pensai. Mi stupiva la gente che andava e veniva e nemmeno guardavano laggiú. «Com'è la gente, – mi dicevo, – non lo sanno di vivere a Genova».

Nell'osteria, un buco caldo in un vicolo, Linda tornò di buon umore. Mangiava di gusto e a me piaceva vederla mangiare. Con Lubrani cercarono non so che bocconi; il cameriere era un continuo corri e porta; sul piú bello arrivò quel Carletto.

Era gobbo, rideva tutto e gli demmo una sedia. Dagli occhietti e dal fare sembrava un ragazzo; ci disse «Questa chi è?» quando Linda gli tese la mano. Poi si conobbero, e il gobbetto non la finiva di toccarla.

Si fecero i complimenti: lui perché Linda era cresciuta, lei perché Carletto guadagnava. Intanto venne da mangiare anche per lui, e un po' mangiava un po' fumava, e rideva – era nervoso come un gatto.

Tanto tempo è passato, ne ho conosciuta della gente.

Carletto l'ho visto non ridere piú, ma mi ricordo quella volta come fosse ieri. Non so perché, m'ero fissato che fosse di Genova; siccome aveva gli occhi chiari, ci vedevo anche il mare. Ma quando gli dissero che suonavo e chi ero, mi capí a volo e disse: – Ho fatto il Meridiana.

Aveva un testone e i capelli ricciuti. M'accorsi che, invece di ridere, ghignava soltanto. Non diceva: «Ne ho viste» ma «sapete com'è». A Lubrani strizzò l'occhio e disse: – Mangia, ti fa bene.

Era gobbo, era storto, sembrava una molla. Pensare che con Linda s'era dato del tu da ragazzo, mi teneva incantato a sentirlo. Avrei pagato per sapere chi era Linda da bambina. Lei diceva che andava e veniva con lo scatolone sul braccio, che un vecchietto una volta l'aveva fermata per dirle: «Vieni a casa mia, lo riempiamo di dolci»; che sulla porta c'era sempre un giovanotto che le dava un biglietto per qualcuna e quattro soldi ma poi voleva la risposta favorevole. Linda rideva raccontandole. Era un'altra, era Linda; io volevo sapere in che cosa fosse stata lei. E Carletto, fumando e masticando, qualcosa ci disse. – Tu, Lubrani, – diceva, – ne hai fatte tante ma non questa. Non sei riuscito a far di Linda una spostata. Dicci, Linda, quante volte ti ha detto che dovevi ballare, che dovevi cantare, che dovevi farti un nome?

– Mi ha perfin detto che voleva portarmi a Parigi.

– Mascalzone.

– Ma volevo istradarla alla scena, – disse Lubrani. – Lo sapevi anche tu. Ancora adesso si potrebbe.

– Ti perdoniamo se volevi sverginarla. Non è niente. Perdonalo, Linda. Ma quando rinasce dobbiamo spiegargli che è meglio far la mantenuta che la cagna.

– Mi ricordo, – disse Linda, – che metteva soggezione anche a me.

– A quindici anni non ci sei cascata. Eh, Lubrani, l'hai trovata una testa sul collo. Non attacca con tutte.

Lubrani ordinò del liquore, e rideva nei baffi. – Non dire troppe porcherie, – lo avvertí, – Linda è insieme con Pablo.

Fu qui che Carletto ci chiese chi ero e poi disse: – Ho cominciato al Meridiana.

– Mai cantato, – gli dissi, – non sono istradato alla scena.

– Credo bene, – fa lui, – voglio dire che son di Vanchi-

glia e che ho tutti gli amici a Torino. Da ragazzo suonavo
l'armonica.

– E adesso hai fatto compagnia, – disse Linda. – Ti va
bene?

– Sai com'è, – disse lui. Già sapevo che s'era giocato un
contratto a San Remo, per voglia di ridere. Una storia che
c'era di mezzo una mantenuta e un gerarca. Gli si eran messi tutti contro, i sindacati e la questura, e per tutto l'au-
tunno era andato a ramengo. – Ho fatto il mare fino ai Santi, – ci disse. Era lustro di giacca e di faccia. Ghignava sempre perché aveva le due pieghe sulla bocca. – Sai com'è, –
disse a Linda. – La rivista che diamo stavolta l'ha scritta il
piú porco. Ci ha messo dentro anche gli ebrei.

– Son contento che impari, – gli disse Lubrani guardando noialtri, – il tuo mestiere è fare il comico. Sfruttar la
gobba e fare il comico.

– Tu, ci sfrutti la gobba, – disse Carletto. – Quand'è che
ci prendi a Torino?

Fu cosí che si misero a parlare del contratto, e Lubrani
era un altro. Posò la cicca e non ci dava piú da bere. Linda
fumava con gli occhi al soffitto. Solamente Carletto continuava a scattare, e rivolgersi a noi, masticare le noci. Dopo un po' chiesi a Linda se veniva a passeggio.

– Dice davvero che dovevi far l'attrice? – Salivamo una
viuzza che pareva in montagna. Linda rise, imbronciata dal
naso. – Lo diceva Lubrani. Che scemo.

Le dissi allora che quei tempi di bambina mi facevano
rabbia.

– Chi credevi che fossi?

– Pagherei per conoscerti allora. Tu conoscevi tanta gente. Non hai voluto tu, davvero?

– Vuoi che cantassi se non so? Non sono mica un'esal-
tata.

– Allora vedi che ho ragione a non suonare la chitarra.

La salita sbucava su un corso ch'era come un balcone. Mi
vidi, dietro, una collina, tutta fatta di scale e di case. E davanti, il mare basso, come prima.

– Ma tu puoi, – disse Linda. Vide il mare e anche lei si
fermò.

– Fumiamo una sigaretta, – poi disse, alla balaustra.

Gliel'accesi e guardammo.

– Che giornata, – disse Linda. – Ieri neve, oggi sole. Sai
che Carletto mi fa rabbia?

– Quando nevica il mare non cambia colore? – dissi. Linda rise con me.

– Non l'ho mai visto che al cinema, – dissi. C'era un tepore che sapeva di giardino.

– È questo l'odore del mare? – Poi le dissi: – È ben scemo Carletto a venirsene via.

Linda mi disse: – Vuoi bene a Carletto?

– Senti, – le dissi, – quest'estate ci torniamo. Ho bisogno di soldi. Voglio fare qualcosa per stare con te. Dammi un lavoro coi tuoi sarti, qualcosa. Vado in giro, prendo il treno. L'ha fatto Amelio, posso farlo anch'io. Voglio stare con te giorno e notte.

Linda lasciò che la baciassi contro il ferro; non mi diede la bocca, si lasciò toccar gli occhi.

– Andiamo a prendere il caffè, – disse piano.

Nel caffè parlammo ancora di Carletto. – È un disgraziato, – mi disse. – Si fa mettere a spasso cosí per capriccio. Anche a Lubrani dice sempre tutto in faccia. Stava già bene, nossignore, se la piglia col Fascio.

– Ma adesso lavora di nuovo.

– Chi comincia, è finita. Senti, – mi disse, pigliandomi il braccio, – non far mai niente contro il Fascio, prometti.

Aveva gli occhi spiritati. Non so se faceva per burla. La calmai ridendo anch'io.

Poi ritornammo nel vicolo. Li trovammo seduti tra i fiaschi, e tutto un piatto di fotografie.

– Chi è questa? – diceva Lubrani.

– La tale.

– Non ha gambe.

– Neanch'io.

Linda disse di smetterla e venire a passeggio. Carletto rideva cattivo. – Sei venuto a cercarci. Vuol dire che sai che valiamo dei soldi. Devi prendere quel che ti do.

– Facci vedere la Dorina, – disse Linda.

– Le hai trovate in quel posto, – disse Lubrani.

Carletto allora non parlò, ghignava sempre. Si alzò in piedi, raccolse le foto, prese Linda per mano e disse a me: – Si va a sentire un po' di musica? – Linda ci stava. Io mi volsi a Lubrani e gli dissi: – Si va?

Salimmo tutti sulla Lancia; io vicino a Lubrani. Infilammo quel corso e per un pezzo costeggiammo il mare. Dietro, Carletto discorreva come niente fosse stato; raccontava a Linda che voleva cambiar genere e fare il varietà come una volta. Lubrani disse: – Che piacere mi faresti.

Ci fermammo a un locale che dava sul mare. Dalle vetrate si vedeva il sole e l'acqua. Mi stupí che la gente ballasse come fosse a Torino.

Lubrani disse: – Tu che dici, fa' ballar Linda e poi vedrai.

– Lo so che Linda ti fa gola, – gli rispose Carletto, – ma Linda ha la testa sul collo.

Mi strizzò l'occhio, si alzò in piedi e chiese a Linda di ballare. Mi fece effetto quella schiena gobba che Linda abbracciò. Li guardavano. Mi venne in mente che anche Amelio era uno storpio.

Lubrani disse: – E noi beviamo, caro mio.

Carletto e Linda ritornarono ridendo. Avevano visto una bionda ballare con un moro in giacca nera, e dicevano: «Insieme faranno la crema».

Ballai con Linda e ballando le dissi: – Mi piace Carletto.

Sul tavolino fra le tazze risaltarono fuori le foto. Linda di nuovo le fece passare. Io avevo intravisto dal vetro l'acqua rompersi su certi pietroni, a strapiombo nel mare. Guardai qualche foto. – Questa qui, – ci diceva Carletto. Era forte, grassoccia, con la pelliccia sulla pelle per malizia. – Quest'è Dorina –. Anche Lubrani la studiava. Linda disse: – Mettetela a dieta.

E Carletto: – Io non so, meno mangia e piú ingrassa.

– Non tutte, non tutte, – diceva Lubrani nel fumo del sigaro. Prese la foto di un attore. – Ah sei tu, – disse senza guardarla.

La guardammo io e Linda. Era in nero, elegante, pettinato da ballerino, chinato in avanti. Non sembrava nemmeno Carletto. – Ma è bello, – le dissi.

Linda rideva. – Cosa credi? di esser bello tu solo?

Lui e Lubrani discutevano su un gruppo di ragazze. – Me ne mancano due che han cambiato mestiere.

– Quanto avanzano? – disse Lubrani.

In conclusione non voleva che Carletto. Lui Carletto diceva: – Ma vieni a sentirci.

– Starei fresco. Le donne si trovano. Ce n'è dappertutto.

Io guardavo dal vetro lo strapiombo del mare. Ascoltavo l'orchestra e pensavo all'estate. Mi venne in mente la chitarra. Avrei voluto andar con Linda, a mezzanotte, sulle spiagge, e suonare, abbracciarla, star solo con lei. Quella notte che aveva perduta la sciarpa, era sola sul mare. Se soltanto riuscivo a toccare l'estate...

Carletto disse: — Ti dico che ho impegno. Non posso mollarli cosí. Vuoi capirla? — e rideva cattivo.

E Lubrani: — La prova l'hai fatta. Tu devi solo fare il comico e sfruttarti. Mangiate, sí o no? Questo è il punto. Se non mangiate è colpa vostra.

Carletto disse: — La rivista è bella. È piaciuta perfino ai giornali... — Tirò fuori i giornali.

Lubrani schiacciò il sigaro e si guardò intorno. — Non volete ballare? — disse a me. — Che ora è?

Quando tornammo da quel ballo, era fatta. Lubrani chiudeva la penna e Carletto studiava il bicchiere. Ci lasciammo alla macchina. Ci disse: — Saluto — con un'aria leggera. Linda gli disse: — Vieni presto, — con l'allegria che hanno le donne, poi si cacciò tra le coperte. Partimmo cosí sotto il sole, e l'ultima cosa che vidi furon quelle colline spelate che sembrano cenere.

VII.

A Torino arrivammo di notte. Lasciammo Linda alla porta di casa. «Sto male» diceva. Scappò col naso nel paltò.
Lubrani disse: – Andiamo a cena.

– Non ho un soldo.

– Sciocchezze.

Quella sera mi disse che aveva paura di averci colpa nel
malanno di Linda. – Non piú tardi di ieri l'ho portata in piscina, – mi disse. – Tu non vai? Già, bisogna esser soci. È
un ambiente ristretto. Scaldano sí ma si fa presto a prender freddo.

– Non lo sapevi? Non ti dice queste cose?

Quando capí d'avermi in mano, andò deciso.

– Linda non dice molte cose, ma le fa. Ne ha bisogno.
Come tu di fumare. Non ci pensa due volte. Tu ci pensi due
volte quando respiri la boccata?

Aprí la bocca e lasciò uscire il fumo adagio.

– Hai fatto caso quando parla con qualcuno? Sembra
che aspiri una boccata. Anche con te. Non ci pensi alle
volte?

– Sembra che aspetti, – disse brusco, – no? sembra che
aspetti una parola o qualcosa. E invece no, te l'ha già fatta.

– È un peccato che sei senza soldi, – riprese, – perché tu
credi che le donne corran soltanto dietro ai soldi. Sei sicuro
che prima di te non ne avesse uno meglio?

Dissi: – E con questo?

– Non crederai d'interessarla perché le suoni la chitarra? È una cosa ridicola. Chitarra e fumo son la stessa cosa.
Tu che vendi i tabacchi dovresti saperlo.

«Stai zitto, – pensavo, – stai zitto» e guardavo quegli occhi irritati. Ma pagava lui cena, e dovevo ascoltare.

– So tutto quanto, – dissi adagio, a voce bassa. – Lo so
meglio di un altro. Cosa conta?

Si mise a ridere e mi disse che scherzava. – Non si può

sempre stare insieme, è un fatto. Ma è venuta soltanto con me. Linda è una donna eppure credo che con me sia sincera. Se non ti ha detto che andava in piscina, è perché non ci andava. Da quanto tempo la conosci, Pablo?

Non gli risposi e lo guardai. Ci guardammo. Gli dissi, senza dare importanza: – Cos'è che le donne non corrono dietro ai quattrini?

– Ah ah, – fece lui soddisfatto. Chiamò il cameriere.

– Corrono dietro a tante cose. Non soltanto ai quattrini. Senti, – mi disse con un'aria d'affari, – non ci sono eccezioni. Io le donne le faccio spogliare, per sapere chi sono. Tutte quante si spogliano. Non ci stanno a pensare. Una donna che sa quel che vale, si spoglia. Ma con questo, non credere. Voglion altro, le donne. Sono tutte ambiziose. Ce n'è che vogliono l'amico del cuore. Ce n'è di matte. L'hai mai vista una donna ubriaca? Ce n'è che cambiano amico soltanto per picca. Sui quattrini ci sputano.

– Meno male, – gli dissi.

Piantò una mano sopra il conto e lo pagò.

– Volevo dirti, – disse poi mentre uscivamo, – che l'idea di suonare in un teatro è balorda. Non ti bastano i sale e tabacchi?

L'indomani andai presto da Linda, passando in mezzo a tante sarte. Mi disse di chiudere, ma non volle che entrassi nel letto.

– Ho la febbre, – disse.

Non le parlai della piscina. Lei diede la colpa a quel sole di Genova e al freddo del viaggio. – Sei contento che sono malata, – mi disse. – Mi tieni qui e mi puoi picchiare. Ti piaceva Carletto?

– Si parla sempre della gente.

– Chi ne parla?

– Ma ieri Carletto. E quell'altro. Sempre.

– Di chi vuoi che si parli?

– Non siamo mai noi due soli.

– Se sei qui stamattina. Ti dispiace? Vattene.

Poi disse ancora: – Che cos'hai? cosa vuoi?

Le avessi detto tutto quanto quel mattino. Ero seduto sul letto e le parlavo. Mi prese una mano e se la poggiò sulla guancia. Mi abbassai per baciarla.

– Ti do il raffreddore.

Posai la testa sul cuscino e dissi piano: – Stiamo insieme quest'oggi.

– E poi?

– Poi mi cerco un lavoro e ti sposo.

– Bravo lui, – disse ridendo.

Io le tenni la faccia vicino e non dissi piú niente.

Dopo un poco mi chiese: – Siamo già insieme. Che vuoi
d'altro?

Non le dissi piú niente.

Allora Linda non si mosse, e respirava. Stemmo insieme
cosí, chi sa quanto. Mi ero quasi scordato che stavo con
lei. Linda cercò sotto il cuscino il fazzoletto. Mi toccò muovermi, e lei disse tranquilla:

– Questa vita che faccio mi piace. Perché vuoi che la
cambi? Devi abituarti alla mia vita. Io non voglio dipendere da te né dagli altri. Nemmeno tu devi dipendere da me.
Sei geloso?

– Hai ragione, – riprese. – Vorrei vedere non lo fossi.
Anch'io sono gelosa. Devi occuparti e non pensarci. Perché
non suoni la chitarra? È un lavoro per te, non hai altro.
Puoi diventare un buon solista.

Quel mattino bussarono all'uscio e una brunetta col
grembiale da commessa chiese a Linda se voleva il caffè.
– Me lo fa lui, – disse Linda, – è il mio dottore –. L'altra,
ridendo, scappò via.

Da quel giorno mi misi a cercare un lavoro, girai dappertutto, e in negozio ci stavo soltanto il momento di uscire.
Si parlava di nuovo di Amelio, e l'idea di vederlo spuntare
tra i vetri, appoggiarsi alla porta, aspettare, mi metteva spavento. Sua madre disse nel negozio che perché lui potesse
uscire ci sarebbe voluto l'ascensore. – Vadano a stare al
pianterreno, – disse una donna che sentiva. Io sapevo che
Amelio non sarebbe venuto a cercarmi, ma guardavo lo
stesso la porta. «Se ha fatto il matto, è colpa sua». Non riuscivo a trovare un lavoro, ma sapevo che lui nei miei panni
ne avrebbe trovato. Qualcosa faceva anche da letto, se no
li avrebbero già messi sulla strada. Doveva vendere e comprare, quest'è certo.

Linda rimase nella stanza qualche giorno, e teneva con-
siglio con le ragazze della sartoria. Venne una volta una signora per un abito, e chiese di parlare con lei – non si fidava che di lei. Guardarono i figurini e i giornali in francese;
Linda mandava avanti e indietro le ragazze, sapeva fare, or-
dinava da letto, e tutto ridendo; le parlò di signore, di at-
trici, di mode sportive. Del resto, Linda nella stanza aveva

un mobile di specchi e un tavolino elegante con spazzole e pettini che sembravano cose da bar Cristallo o da profumeria. Piace anche a me vestirmi bene, ma per Linda era piú che vestirsi; sapeva vivere in quel modo e discorrere. Diceva: «Se avessi una casa, vedresti». Alle volte, girando con me, si fermava a guardare le vetrine e sapeva dov'erano le cose piú fini, certi negozi che io passavo senza accorgermi nemmeno. Camminare con lei per le strade era sempre un piacere; se avessi avuto anch'io la Lancia, saremmo stati come ricchi. Aveva una bella valigia di pelle con le targhe, e mi disse: – Da quanto non viaggio.

Quando guarí, la portai sotto, a cena. Andammo là dov'ero stato con Lubrani. – La prima cena noi due soli, – disse lei. Aveva un modo di mangiare affamato, con occhi golosi, che metteva la smania. – Mi piace viaggiare, – disse. – Non sai quant'è bello arrivare la sera in un'altra città.

– Viaggiare sola, – mi diceva. – Cambiare abitudini, casa, città. Piantare ogni cosa, e per un mese, per un anno essere un'altra.

– Tu lo sei sempre un'altra, – dissi.

Lei rise. Riuscivo a farla ridere volendo. Era come suonare. Ci sono dei gesti, dei versi, dei trilli che si fanno per burla, per tirare con te chi ti ascolta. Come dare un'occhiata, far finta di niente. Viene un momento che si fa senza pensarci. Linda capiva queste cose. Mi guardava. Come aspirasse la boccata. Mi metteva la mano sul braccio e mi guardava. In quei momenti avrei potuto dirle: «Andiamo a far l'amore» che sarebbe venuta.

– Se guadagno dei soldi, – le dissi, – vengo al mare con te.

– Chi ti dice che vado, quest'anno? – mi disse ridendo.

Quella sera nevicava ma andammo a ballare al Paradiso, e sprofondammo nella neve sotto il viale. Linda disse: – Ci vorrebbe Lubrani –. Invece trovammo Lilí che ballava felice, e mi fece un saluto e gridò nella musica. Linda mi disse: – Guai a te, – e mi portò in fondo alla sala. Stemmo tutta la sera noi due, ballando e ridendo. Mi raccontò di quando al mare, a San Remo, s'era andata a bagnare da sola in barchetta e, una volta al largo, s'era tolto il costume e preso il sole dappertutto. – Si sta bene, – mi disse. – Dovremmo stare sempre nudi tutti quanti. Se la gente uscisse nuda per strada, sarebbe piú buona.

– Non ci vai in piscina?

– No, – mi disse, – è acqua sporca.

Poi uscimmo; era bianco e gelato tra gli alberi, e cercammo tra le macchine se si vedeva la Lancia. Ci toccò ritornare col tram. Con la neve a me piace fumare e passeggiammo sotto i portici a finir la sigaretta, poi entrammo in un bar.

– Che cosa ti dicono a casa, che sei sempre in giro?

– Quel poco che sto, li tormento suonando. Studio sempre. Qualche sera dobbiamo passarla a suonare.

– Al Varietà devi venire. Non ci vai mai. Devi provare con Lubrani.

– Non mi piace Lubrani.

Eravamo sull'uscio di casa. – Vuoi salire? – mi disse.

Cosí passavano quei giorni, e sapevo che, uscendo a mezzogiorno, c'era Lubrani che la portava al bar. Me lo disse lei stessa ma tutte le sere veniva con me, e avrei dovuto esser geloso e non potevo. Che cos'altro poteva trovarci se non dei quattrini? Se veniva con me non cercava i quattrini.

M'ero quasi scordato di Amelio. Ci pensavo soltanto quando uscivo di casa e passavo sul corso. Ormai vivevo come lui nei tempi che girava con Linda e lavorava. Mi mancava soltanto il lavoro. Non lo volevo da Lubrani. Dissi a Linda che smettesse di seccare Lubrani. – Come vuoi, – disse lei, – ma era l'unica strada. – Al suo posto, – le dissi, – farei di tutto per levar di mezzo un Pablo. – Sciocco, – mi disse, – è per questo che deve aiutarti. Non mi faresti tu un piacere se io volessi?

– Lui lo sa, – disse poi, – che se riesci ti gira la testa e non pensi piú a me.

– Io non voglio riuscire.

– Riuscirai, – disse Linda tranquilla, – sei giovane. Non si può far l'amore per tutta la vita.

– Si sta insieme per questo.

– Dio mio, – disse Linda.

– Non si farà sempre l'amore. Si sta insieme. È un'altra cosa.

– Lo vedi, – mi disse tranquilla, – che l'amore non c'entra?

Quasi ogni sera dicevamo queste cose. E di giorno cercavo un lavoro. Mi ero messo col vecchio padrone di Amelio, che aggiustava le moto e comprava e vendeva, e gestiva un servizio di camion sull'autostrada. – Nell'officina, anche domani, – mi disse. – Ma un motore l'affido soltanto a chi ha piú di trent'anni. Ti fa male la testa? Non ne voglio di matti –. Gli chiesi allora di lasciarmi accompagnare qualche camion per farmi un'idea. – Tu suoni troppo la chitarra, – mi rispose, – mi farai bere quei ragazzi –. Se avessi osato tornare da Amelio, gli avrei chiesto una spinta. Lui conosceva tutti quanti in officina e sulla strada. Una volta mi avrebbe aiutato, pensavo. Una volta. Nel caffè degli autisti conoscevo qualcuno. – È una brutta stagione, – mi dissero, – si prende soltanto del freddo. Ma ce l'hai la patente?

– Non ti basta il negozio? – mi dicevano in casa. – Cosa credi di fare?

Io cercavo un lavoro che potessi suonare la chitarra e trovarmi con Linda. Un'officina era lo stesso che il negozio. Quel che volevo era girare e far da me. Al caffè degli autisti, vedevo le facce. Era gente che a volte faceva la notte. Quelli dei camion guadagnavano e giocavano robusto. Ne arrivavano all'alba, di sera, di notte. Mi venne in mente quel mattino che avevo preso latte e grappa in quel bar. Per lavorare, lo sapevo, bisognava darsi attorno. Ero disposto a lasciare Linda avanti giorno.

Portare un camion non sapevo, e non avevo la patente. Una sera che tanto ero solo, ci venni con Lario e portai la chitarra. Il cameriere ci abbassò la radio; io seduto davanti a un bicchiere suonai fin che volli. Sentivo dire: «È il tabaccaio» e conoscevo qualche faccia. Alla fine trovai chi cantava, e chiedemmo altro vino. Uno biondo, Milo, prese lui la chitarra. Era un diavolo lungo, dalla faccia slavata. Suonò dei tanghi ma gli dissero di smettere. – Tu canta soltanto, – gli dissero, – lascia suonare la chitarra.

L'indomani ero in camion, con Milo e un meccanico piú vecchio. Portavamo dei sacchi di zolfo a Casale. Ce ne partimmo con la nebbia, a fari accesi. – Se troviamo il sereno, – mi disse, – ti lascio guidare –. A Trofarello c'era il sole. Presi il volante. Faceva l'effetto di guidare una casa. Erano brutte le discese, questo sí. – Vedrai che strade in provincia di Alessandria.

– Occhio ai militi, – disse il meccanico.

Per fortuna non avevamo rimorchio. – Dove sbagli è nei cambi, – mi dissero, – si capisce che tu andavi in balilla.

Quel giorno ripresi la guida sovente, quando la strada era buona. Milo mi disse: – Se portavi la chitarra. – Un'altra volta.

Ci fermammo a Moncalvo. C'era la neve dappertutto. Cominciavo a capire perché per guidare ci vogliono gli occhiali. Lo stradone era tutto una poltiglia. Mangiammo un boccone in una stanza con la stufa, poi bevemmo un bicchiere parlando dei viaggi che avevano fatto. Milo era stato fino a Roma già una volta. – Si guadagna, – diceva, – ma non si risparmia un quattrino –. Cacciai fuori un pacchetto intero e li feci fumare. – Io ero in Spagna una volta, – ci disse il meccanico, – anche quella, che gente. Là la benzina è andata tutta nelle case, per bruciarle.

Allora Milo strizzò l'occhio. – Ci sono i nostri anche dall'altra parte.

Il meccanico disse: – Quando è vietato darsi botte nel locale, si va in piazza.

A Casale, altra nebbia c'era e poltiglia. Cambiammo il camion. Tornavamo a Torino con un carico di cemento. Volevo andare un poco in giro a vedere, ma dissero: – È meglio scaldarci –. Sapevano loro una buona osteria e mangiammo e bevemmo decisi. Poi facemmo una mano alle carte. Era spuntato un po' di sole, una miseria.

Ripartimmo, e adesso il motore non era piú lui. Cominciò a fare degli scherzi prima di Asti. Ci toccò stare per un'ora nella neve a bruciarci le mani sui ferri. Io cuocevo. «Stasera non mi trovo con Linda». Finalmente il motore cantò. Ci pulimmo le dita nella neve, ci asciugammo e partimmo. Coi fari accesi, nella nebbia. Arrivammo a Torino ch'era notte da un pezzo. Linda aspettava sulla porta.

Per qualche giorno lasciai perdere, e andai soltanto all'officina.

VIII.

Linda ammetteva che Lubrani le stava d'attorno, lo ammetteva ridendo, e qualche volta ci scherzava anche con lui. – Quel che è da ridere, – dicevano, – è che abbiamo la casa a due passi e nessuno sapeva dell'altro.

– È tutto merito di Pablo, – disse Linda.

Lubrani era sempre elegante. Coi cinquant'anni che aveva sulle spalle e quella voglia di mangiare e di sbronzarsi, se non si fosse massaggiato, ben vestito e lavato al profumo avrebbe fatto la figura di un facchino. – Bagno turco, – diceva. – Eliminare per i pori, è tutto qui. Li abbiamo apposta.

Chiesi a Linda una notte se l'aveva mai visto in mutandine da bagno. – Ti piace? – le dissi. – Deve averci dei peli fin sopra la schiena.

– Poveretto, – disse Linda, – magari è liscio e rosa come un bimbo.

Me lo disse sovente che con tutti i suoi soldi era un povero diavolo. – L'ha piantato la Clari. Si è fatta dare l'usufrutto di un teatro e l'ha piantato. Devi vederlo. Quando ritrova una di noi che conosceva da bambine, ci corre dietro come un cane. È un brav'uomo. E lavora. Tutti gli chiedono dei soldi e lui lavora.

– Si vede.

– Furbo. Lo sai che ha dei teatri dappertutto e ha cominciato senza un soldo? Non è un lavoro come i nostri. Lui telefona e viaggia. Dà lavoro alla gente.

– Vive alle spalle della gente.

– Sciocco. Ci vogliono gli uomini cosí.

Per uscire con Linda sopportavo anche lui. C'era un locale a pochi passi dal Varietà, dove si andava a mezzanotte a bere l'ultimo liquore, sentire la musica, fare il mattino. Le sere che Linda faceva tardi in sartoria l'aspettavo là dentro. A quell'ora ci passavano il tempo divette e sportivi, prestigiatori e camerieri fuori turno, vetturini, ragazze. Era come seguire il varietà alla rovescia. Ogni tanto una donna, un ometto, una famiglia di acrobati si alzavano e scappavano in teatro. Chi fumava, chi faceva crocchio, chi mangiava. Molti cenavano con pane e caffelatte, dei bambini correvano. Di tanto in tanto un disgraziato si attaccava a una ragazza. La ragazza parlava al barista attraverso la sala, gli chiedeva qualcosa, scherzavano. Il cliente se la rideva, azzardava la sua; la ragazza allora cambiava di posa le gambe. Dopo un poco si alzavano e andavano fuori.

Questo locale si chiamava il Mascherino. Nelle ore piccole chiudevano e l'orchestra attaccava, ma bastava passar dal cortile e picchiare all'imposta. Filtrava ancora un po' di luce nel cortile. Con Lubrani si entrava riveriti da tutti, e c'era sempre un tavolino in un angolo all'ombra, dietro il ciuffo di piante, al riparo dalle coppie.

— Non sei padrone anche di questo? — disse Linda a Lubrani la prima volta che ci andammo.

— Lo terrei molto meglio, — disse lui. — Farei fuori sporcizia e marmaglia. Starebbe chiuso per un mese. Poi camerieri in giacca bianca, orchestra jazz, luce diffusa.

— Ha il suo bello com'è, — disse Linda.

Una donna faceva la matta e ballava da sola davanti all'orchestra che aveva smesso di suonare e si asciugavano il sudore. La gente — erano pochi, sparsi in tutta la sala — aspettava la musica, e quattro o cinque giovanotti e ragazze accaldate battevano a quell'altra il tempo sui tavoli. La ballerina cacciava uno strillo ogni tanto, come si fa sul palcoscenico.

— Fallo ballare con qualcuna, — dissi a Linda sottomano.

Linda rise e ci disse che non avrebbe ballato né con me né con lui. Cosí restammo al tavolino e Lubrani parlò.

Disse che a lui veder le donne far da sole quel che si deve fare in due, gli voltava lo stomaco. In teatro va bene, diceva, si fa per spettacolo, ma una donna che perde la testa in un locale è una malata.

— Eppure le donne ubriache ti piacciono.

— Quando si è in due. Puoi dirlo. E magari qualcuno che suona. Ma da soli è un piacere sprecato. Pablo che è giovane può sprecare i piaceri. Noi no.

— Maleducato, — disse Linda.

Per un momento restò zitto, a testa bassa. Poi riprese

convinto. – Tra noi ci sono somiglianze, cara mia. Una donna è piú vecchia degli anni che porta. Noi due sappiamo come vanno le cose. E dove vanno. E quel che valgono. Siamo dei vedovi, noialtri.

Lo guardavo e pensavo come sono le donne. Anche poche. Anche Linda. Se per loro ogni uomo è davvero lo stesso, tanto varrebbe che si dessero a uno solo, che gli andassero dietro come il cane al padrone. E invece no, vogliono
sempre aver la scelta, e la scelta la fanno mettendoli insieme, giocando con tutti, cercando in tutti un tornaconto. Cosí stan male tutti quanti, e anche loro alla fine non hanno
un amico.

– Linda, – le dissi, – raccontiamoci stasera dove saremo
quest'altr'anno. Se saremo contenti. Con chi passeremo la
sera e in che modo. Ci stai?

– Sí sí, – disse Linda. – Chi comincia?

– O se volete, chi eravamo l'anno scorso. La sera del
venti. Come abbiamo passato quella sera e con chi. Riesce
meglio.

– Chi si ricorda? – borbottò Lubrani.

– Ecco, – gridò Linda. – L'hai passata che nemmeno ricordi. Hai sprecato un piacere.

– Chi ti dice che fosse un piacere? – dissi a Linda. – Lui
magari aspettava qualcuno. Oppure viaggiava sul treno e
c'è stato uno scontro. O il brutto tempo l'ha tappato in
casa.

Lubrani rideva tra sé. Ci guardò con gli occhietti. – La
sera del venti? – disse serio serio. Si palpò in tasca e tirò
fuori un librettino. Linda disse: – Che bellezza –. Lubrani
sfogliava con l'aria di un civico. – Venti venti, – diceva.
– Che peccato. Era l'altr'anno.

– Fammi vedere, – disse Linda.

Ma Lubrani levò la mano e si salvò. – Fallo vedere, –
gridò Linda. Rovesciarono un bicchiere.

– Me la paghi, – disse Linda.

– Sono cose d'affari.

– Allora dicci di quest'anno.

Lubrani sfogliava schermendosi. Borbottava dei nomi,
un po' serio un po' vago. – Ragioniere, – diceva, – maestro... nottata... Telefonato... dottore, maestro... Firenze...
pianta grassa... Chianciano... nottata...

– Fammi vedere cos'hai scritto ieri sera.

Ma Lubrani non volle e nascose il libretto.

– Dicci tu cos'hai fatto la sera del venti. Sentiamo Linda.

Linda fece una smorfia e brontolò che non teneva l'agenda. – Non mi resta nemmeno quest'anno. Ho sprecato ogni cosa. Non ricordo piú niente.

– Non c'è bisogno che sia il venti, – dissi allora. – Basta quel tempo, basta il mese di dicembre.

– Lavoravo, – disse Linda.

– Giorno e notte? – chiese Lubrani.

– Chi lo sa cosa ho fatto. Uno ricorda solamente quel che si fa per abitudine. Tutto il resto sparisce. Quello che hai detto e che hai creduto non c'è piú. Mi ricordo un mattino che c'era una nebbia d'ovatta, e sembrava che il mondo l'avessero tolto. Non si sentivano nemmeno i passi... Mi ricordo di questo.

– Ma con chi uscivi quelle notti?

– Lascia perdere, – disse Lubrani. – Tutti contiamo delle storie.

Il mio ricordo non lo chiesero. Se mi fece piacere, non so. Linda stava aggobbita sul tavolo e disse: – Giochiamo a quell'altro. Che cosa faremo un altr'anno quest'oggi?

La donna matta aveva smesso da un bel po'. Qualche coppia ballava. Saran state le tre del mattino e la sala era vuota. Mezza orchestra dormiva.

– Io lo so, – disse Linda, – cercheremo che cosa abbiamo fatto stasera.

– Bevi bevi, – le disse Lubrani.

– Vuoi che ricordi questo vino? – disse lei piagnucolando.

Non appena fui solo con lei – l'indomani per strada – glielo chiesi. – Davvero non ricordi l'altr'anno?

– Ci pensi ancora? – disse Linda.

Io mi ero accorto ritornando a casa che preferivo viver solo piuttosto che Linda scordasse anche me. Mi faceva un piacere carogna pensarci. Se di colpo smettevo di uscire con lei, forse l'avrei mortificata e non mi avrebbe piú scordato.

– Io mi ricordo ogni momento che ti ho vista, – le dissi.

– Può darsi.

Era come l'avessi già fatto. Mi tremavano i denti. – Da stanotte ho capito chi sei, – dissi piano.

Lei mi prese per mano e diceva qualcosa.

– Dunque l'altr'anno non uscivi, – le dissi.

Mi tenne il braccio e mi guardava brusca. – Cosa c'è?

– Niente, – le dissi. – Ma perché fai questo? C'era Amelio, e l'hai detto ch'eri stata in montagna con lui. Quella sera che avete ballato nel portico...

– Non si può dirvi una parola, – mi fece. – Anche tu.

Discorremmo cosí dei suoi anni passati, e mi disse molte cose e divenne malinconica. Dovevamo andare al cinema e non andammo. Ci comprammo le castagne arrostite e passeggiammo in riva a Po. Veniva notte, su quei corsi, e i lampioni erano accesi e avrei voluto che durasse sempre, perché adesso sapevo che l'idea di lasciarci e non piú rivederci mi tagliava le gambe. Era come avessi messo le radici nel suo sangue. Il suo fianco era il mio. La sua voce era come abbracciarla. Mi raccontò che da ragazza era stata in collina con un poco di buono e che si erano presi sull'erba. Disse che questa è una sciocchezza e che il mondo ne è pieno, e mi chiese se neanch'io ero cambiato in qualche cosa dopo fatto l'amore con la prima ragazza. Poi parlammo di Amelio, e negò di aver fatto l'amore con lui. – Che spavento, – mi disse. – Gli voglio bene ancora adesso, – le spiegai, – ma non posso piú andarlo a trovare.

– Non mi piace la vita che faccio. Sempre quel merlo di Lubrani alle costole. Perché non stiamo noi due soli, Linda?

Ma se di notte ci andavamo con Lubrani, nel pomeriggio il Mascherino mi piaceva. Era comodo e Linda veniva a cenarci con me. Io la mattina stavo molto all'officina, da apprendista, e lo facevo per tenermi il padrone. Ma in casa strillavano e dicevano «Mettiti al banco». Mi ci misi una volta ma con la chitarra, e quando entravano i clienti non smettevo. Toccava lo stesso alle donne sbrigarsi. Cosí non fecero piú caso alle giornate ch'ero fuori. M'ero convinto che un bel giorno avrei trovato il mio lavoro – sulle strade, in un'altra città, purché Linda ci stesse.

Qualche soldo lo feci negoziando la musica. Avevo in casa gli spartiti e l'armonia, e al Mascherino feci presto a metter mano sui cantanti. Ce n'era sempre che mancavano di tutta l'orchestra – specialmente le donne – e allora dissi: «Metto foglio e trascrizione; costa tanto». C'era un vecchiotto, Carlandrea, che viveva di questo. Ce ne fu anche per me. Da giovane suonava il clarino in orchestra, poi l'asma l'aveva fregato. Non capiva perché non volessi saperne di fare il solista. – Piú il solista di quello che faccio già, – gli dissi, – suono sempre da me –. Conosceva Lubrani e diceva: – È un vero signore.

Linda vedeva e non capiva. – Non voglio entrare nelle grinfie di Lubrani, – le spiegai. – La chitarra non è lavorare. Sarebbe come esser pagato per vestirsi elegante. Il mio lavoro è l'autostrada.

Linda entrava la sera quando il locale era in penombra. C'era dei vecchi sofà rossi, ma prima di mezzanotte non s'accendeva il candeliere centrale. Per noialtri bastava. Linda mangiava delle uova e un po' di latte. Io le tenevo compagnia. Mi raccontava del lavoro all'atelier, di chi aveva veduto. Quasi sempre Lubrani le aveva telefonato, per trovarci al Paradiso, per trovarci in teatro. Preferivo il teatro perché almeno le stavo vicino. A volte dicevo: – Ma vada all'inferno – e riuscivo a far sera noi due, dando un cane a Lubrani. La volta dopo lui non ne parlava.

Quel Carlandrea era una piattola, e vederlo toglieva la voglia di fare il solista. – Alla prima disgrazia si finisce cosí, – dissi a Linda. – Cosí come? – Vecchi, infatuati e miserabili. – Si finisce cosí in tanti modi, – disse lei cheta.

Per disgrazie da ridere, ce n'era là dentro. C'era la storia di Minnie la portinaia. Questa Minnie cantava un tempo al Meridiana. L'avevo vista a quei tempi, sembrava un poco mia sorella. Voglio dire, non era tagliata al mestiere che sua madre le aveva trovato. Non aveva che gli occhi, e una pelliccia di coniglio. Ma era sempre una stella, e la madre veniva a pigliarla all'uscita. Una sera rivedo la vecchia al Mascherino; discuteva in un crocchio; c'era Linda con me. Discuteva di Minnie e le leggevano una lettera: – Credevo fosse un uomo ricco, cara mamma. Una cosa cosí non l'avrei mai creduta. Credevo fosse ricco ricco e gli volevo tanto bene. Che cosa ho fatto, cara mamma –. Linda rideva. – Vecchia stupida, – disse. Le raccontai che conoscevo quella Minnie. Linda scosse la testa e guardava la vecchia.

Poi le dissi degli incontri che facevo la notte su corso Inghilterra. – Come siete voialtri, – mi disse, – comperate una donna per strada, come si compra le castagne. Dove vi portano a godere?

– Non compro niente, – le risposi.

– Ma vi piace che siano sul corso. Fin che dura l'amica, magari non ne avete bisogno. Ma domani accettate anche loro –. Linda parlava in quel modo imbronciato che sembrava scherzasse. – Una volta ci andavi, lo so. Com'è che dicono? «Dammi la cicca»?

Le vedevo ogni sera tornando da stare con lei. Non era

più come gli altri anni che ci passavo proprio in mezzo e dicevo: «È una vita anche questa». Ci soffrivo. Passeggiavano in mezzo alla neve e il puntino rosso della sigaretta nascondeva la faccia.

– Una donna che fa quella vita è una stupida.

– Non si sa. Hanno bisogno.

– «Dammi la cicca», – disse Linda ridendo. – Sono stupide.

Io pensavo a quell'altra che con Milo avevamo trovato per strada. Tornavamo a Torino da un trasporto a Pianezza. S'era fatta pigliare sul camion e salendo ci aveva mostrato le gambe. – Guida tu, – disse Milo. Io guidai fino a casa. Loro due si schiacciavano nella cabina, si succhiavano il sangue. – Mi sbatti fuori, – gli diceva lei. Ma non era di quelle vestite da festa. Non era nemmeno dipinta. Sembrava una donna di casa, sui trenta o quaranta, con la faccia magrissima e quegli occhi affamati. – Il tuo amico non è come te, – gli disse. Io guidavo e pensavo: «Anche tu sarai stata la Linda di qualcuno».

Linda mi disse a Capodanno che avrebbe presto fatto un viaggio. Me lo disse ridendo, come si fa sulle carte. Quella sera per caso eravamo scampati a Lubrani, e cenavamo al Mascherino e avremmo fatto mezzanotte nella stanza di Linda. Era già inteso, e avevo voglia di ballare. Disse: – Un viaggio. C'è un viaggio per me.

Non lo sapeva ancora certo, ma comunque non più di sei giorni di assenza. – Per affari, – mi fece ridendo. – Tu stai buono e vedrai quando torno.

Ma quella notte ci scordammo anche del viaggio. L'indomani al Mascherino, trovammo Carletto che veniva da Genova.

IX.

Non mi riconobbe e discuteva col barista. Mi stupí perché vidi che non era piú cosí gobbo, ma la voce era quella e il suo fare da molla. Era piccolo, aveva il cappello.

Parlava forte e gli diceva che aveva sognato dei gatti e si muoveva come un gatto. Il barista rideva.

Linda entrò e non lo vide. – Lo sai chi c'è al banco? – le dissi.

– Oh è Carletto –. E restò lí seduta e contenta, e tornò a guardar me.

– È mezz'ora che parla di gatti, – le dissi. – Ha sognato che Torino era piena di gatti e che non c'era piú nessuno, e per uscire bisognava fare il gatto e nascondersi e scappare sui tetti.

– Tu ne fai mai di questi sogni? – disse Linda.

– L'altra notte ho sognato Lilí.

– Bravo.

– Ma non era Lilí. Rassomigliava a mia sorella Carlottina. Andavamo per strada. Lei davanti. Io dicevo: «Se si volta, mi vede e mi scappa». Se si voltava, sapevo che avrei visto Lilí. Passavamo davanti a dei vicoli e avevo paura che sbucasse qualcuno. Poi correvo e Lilí mi correva davanti e sapevo che voleva fare il giro dei vicoli e pigliarmi alle spalle...

Ma Carletto ci aveva veduti. Piantò il banco e ci corse vicino. Linda gli disse: – Che bellezza –. Si rifecero festa. Anche noi due ci salutammo.

– Sono qui da due giorni, – ci disse Carletto, – e già quel porco me l'ha fatta. Di' un po' se riesco a lavorare.

– E Dorina è con te? – disse Linda.

– Tornata a Roma, – disse lui. – Non si può vivere. Là tutti quanti son parenti come i gatti –. Si diede un pugno sulla fronte e poi sul tavolo.

– Ecco perché ho sognato i gatti, – gridò. – Anche Torino è come Roma.

Linda mi disse: – E con Lilí che cosa hai fatto?

Ricominciai. – Siamo arrivati in riva al mare. Correvamo. Lei scappava in bicicletta sulla sabbia. Raccolsi una pietra e tirai da lontano, mirando la testa. La pietra batté sulla testa e saltò dentro l'acqua. Lilí cadde morta.

Carletto disse: – Con tant'acqua è brutto segno.

– È chi ama, che uccide, – disse Linda.

Raccontare quel sogno cosí a un terzo non mi fece piacere. Si resta sempre come quando non si ricorda piú la fine di una storia o la chitarra non ti dice. Fa l'effetto di mettersi nudi. Dovevo dirlo solo a Linda in un orecchio. E invece Linda ci scherzava, lo pigliava sul serio e faceva le smorfie a Lilí.

Mi chiese: – E com'era vestita Lilí?

– Non lo so.

Qui Carletto ghignava. – Sí sí, – disse Linda, – facevate l'amore.

– Smettetela, – disse Carletto. – Lo sai che stanotte mi butto nel Po?

– Come hai passato Capodanno? – disse Linda.

– Cercando Lubrani per fargli la pelle. Dopo che ho messo su una strada tanta gente. Io non ho la sua faccia. Se torno a Genova mi fan la pelle. Sai che gioco mi ha fatto? Ha tolto me per dar la sala a quella Clari.

– Sciocchezze, – disse Linda. – Tu piaci al pubblico. Lo sanno tutti.

– Lui però non lo sa.

Poi si calmò e canterellava i suoi motivi. Linda accese la sigaretta alla mia e gli disse: – Raccontaci.

Cosí Carletto recitò, cantò e ballò. Faceva tutto sottovoce. Le cosette piú stupide, gli attacchi dei balli, faceva finta di non dirli e schioccava le dita. Ogni momento un'altra voce. Linda rideva come un gallo. Della gente ci stava a guardare. Non avevo mai visto un attore a quel modo. Anche la gobba gli serviva. Sembrava il buco del suggeritore. Faceva l'orchestra. Faceva le donne. E non smetteva di fumare, sottomano.

Si mise a ridere anche lui. – Non serve a niente, – disse a Linda. – La compagnia adesso è sciolta.

– È piú bella cosí che in teatro, – gli dissi, – non ho mai visto una rivista piú sintetica.

– Non la darete anche a Torino? – disse Linda.

Carletto ricominciò a bestemmiare. – Se stasera non vedo Lubrani, – ci disse, – parola mi butto nel Po.

Noi avevamo appuntamento con Lubrani lí davanti, ma
capivo che Linda non voleva parlarne. – Mi ha fatto dire al
botteghino che stasera verrà, – disse Carletto.

– Vuoi cenare con noi? – disse Linda.

Cosí mangiammo un uovo a testa, e Carletto guardava
da tutte le parti e diceva: – Una volta qua dentro era acceso –. Gridò al barista: – Ce la porti una candela?

Poi disse a me: – Non vi conosco. Voi chi siete? Ah tu
sei quello che suonava la chitarra? Non ti ha ancora fregato
Lubrani?

– Faccio il meccanico, – gli dissi, – suono soltanto in
chiave inglese.

Linda rideva e ci guardava. – Se il tempo che perdi alla
fabbrica, lo mettessi a suonare davvero, ti saresti già fatto
un bel nome.

Carletto disse: – È mica stupido l'amico. Vorrei averce-
lo un mestiere come il suo.

– Ma che nome, – le dissi. – Piace suonare per chi ti conosce. Se ti fai pagare, dimmi tu dov'è il bello.

– Fai bene, – disse allora Carletto. – Fai bene cosí.

Venne il momento che il caffè era tutto pieno. Mancava
poco al Varietà e chi si alzava, chi andava e veniva. C'era
chi salutava Carletto e voleva discorrergli. Andò al banco
con loro.

Linda mi disse: – Andiamo via.

Non volevo.

– Andiamo via. Se li facciano loro i discorsi d'affari.

Disse qualcosa al cameriere e ce ne andammo.

Salimmo a piedi al Paradiso. – Lubrani verrà, se ne ha
voglia, – mi disse. – Noi balliamo.

A metà sera ecco che arrivano Lubrani con Carletto.
Sembravano in pace e Lubrani era allegro. Disse: – Basta
ballare voi due. Facciamo baldoria –. Fece venire piatti
freddi e vino nero. – Non avete cenato stasera, – ci dice.
– Mi lasciate patire Carletto –. Carletto fece a Linda una
minaccia con la mano. Senza paltò com'era adesso, di nuovo la gobba sporgeva. Ogni tanto Lubrani gli dava una ma-
nata, e mangiammo, ridemmo e Carletto cantò di nuovo la
rivista. – Pablo, ti manca la chitarra, – dicevano. Un bel
momento, non so come, ci fu Lilí seduta al tavolo.

Io sapevo già tutto quanto, e bevevo da scemo. Linda mi disse che partiva l'indomani. Capivo che Linda trattava Carletto come aveva trattato anche me. Poco alla volta stetti zitto e lasciai che si sfogassero. Avevo voglia di star solo, questo sí.

Non so piú quel che dissi e che feci. Ero mezzo sbronzo e ballai con Lilí. Ballai con Linda. Venne tardi, venne quasi mattino. Quando la macchina fermò in piazza Castello, stavo già per andarmene rasente alle colonne, ma mi videro e dissero: «Pablo».

Da Lubrani la sbornia che mi era passata, ritornò. Ci toccò bere dei liquori, e Carletto saltava e gridava; eravamo seduti per terra. Girammo la luce per restare allo scuro, ma già la nebbia traspariva alle vetrate, e la neve sui tetti. Tutti sapevano che Linda era in partenza e si parlava di far festa e darle il brindisi.

Chiesi a Linda: – Non torni a dormire?

– A quest'ora?

Giravamo per la casa cercando caffè, mandarini, liquori. C'era la luce grigia grigia di quell'ora; era inutile accendere; tutti quanti avevamo una faccia slavata, da neve, e finalmente anche Carletto si fermò. Si sedette sopra un letto e mi disse: – Ci dormo.

– Vuoi lasciare Lubrani con le ragazze? – gli dissi.

– Quella Lilí. Non è cattiva.

Era mattino, avevo sonno. Lilí volle uscire; l'aspettavano i cani. Linda stava nel bagno e Lubrani faceva bollire il caffè. Dissi a Lilí di tagliar corto.

Quando fui solo in quella stanza, mi accorsi che Linda era come già in viaggio. Tanto valeva che tornassi a casa. Le chiesi attraverso la porta se usciva con me. Lei s'arrabbiò e mi disse: – Basta –. Mi sentivo la voce malferma e dicevo altre cose da quel che pensavo. Una cosa sapevo. Ero già solo, e Linda in viaggio.

Uscimmo insieme tutti quanti a mezzogiorno. Quando uscimmo dal bar, Linda disse – Sta' buono – e mi diede la mano. – Arrivederci, – e la lasciai. Restò là con Lubrani e Carletto.

Cosí cominciarono quei sei giorni da solo. Sapevo soltanto ch'era andata a Milano. Stetti tre giorni sempre in casa o all'officina. Questa volta era inutile pigliar la chitarra. Se suonavo, pensavo a tutt'altro. Stavo in negozio e guardavo la porta. M'immaginavo che chi entrava fosse Linda.

Cercai Milo al caffè per andare con lui, ma non c'era. Feci una sera all'osteria con Martino, ma senza suonare. C'era anche Lario, c'era Gilda, e volevano andare a ballare. C'eran tre o quattro facce nuove. Lasciai perdere e stavo a sentire i discorsi. Gilda parlava di una coppia ch'erano andati al Valentino, s'eran seduti su una panca e tirati due colpi. «Lei è morta, lui no». Com'è il mondo, pensavo, una volta avrei detto «Salute».

Il quarto giorno era domenica, e ci fu la partita. – Meno male che al foot-ball ci vieni, – mi dissero. Brutta partita. Dopo cena avevo un foglio di musica da portare a Carlandrea. L'idea di entrare al Mascherino mi fece piacere. Ci andai tranquillo e non c'era nessuno; erano tutti in teatro. Arrivò Carletto.

– Ah, – mi fece. Fumava con rabbia e seccato.

– Come va questo numero? – dissi.

– Quel porco ha di nuovo tagliato la corda –. Sputò il fumo. – È scappato a Milano.

Stetti con lui tutta la sera. Quante volte gli chiesi se era proprio Milano e quand'era partito, non so. – L'ultimo giorno che ti ho visto, e me l'han detto a casa sua. Una voce da merlo al telefono –. Lui bestemmiava per quel turno ch'era di nuovo rimandato. – Al botteghino non ne sanno niente. Mestiere porco. È la storia dei gatti.

Gli chiesi se aveva famiglia a Torino.

– La famiglia l'ho sciolta per credergli.

– Io non ho un soldo, – dissi.

– Per qualche giorno ce la faccio.

– Quando torna?

– Fra due giorni, mi han detto.

L'indomani eravamo insieme già al mattino. Lui voleva sapere di quella Lilí. Mi spiegò che insomma Lubrani era un uomo capace, che le ragazze le sapeva scegliere, che aveva soltanto quel vizio di non ricordarsi. Anche una cena, la sapeva dare. Sapeva stare in compagnia come Lilí. Una volta era molto piú quadro e non finiva una serata senza strappare il reggipetto a una ragazza.

– Quando vi siete conosciuti, con chi stava?

– Con quella Clari che già allora gli mangiava dei soldi ma gli aveva insegnato la vita civile. A quei tempi la Clari somigliava a Lilí, e lui Lubrani che veniva dalla teppa gli piacevano queste gattine pulite. Poi siccome era furbo, si era accorto che dentro il teatro queste donne non durano.

– Nel teatro si sta con le unghie e coi denti, – mi disse Carletto. – Ti fan la forca tutti quanti. Se sei gatto ti metti a graffiare. Figurati un po' le Lilí come mordono.

Cosí girammo tutto il giorno, e avrei voluto anche dormire insieme a lui. C'eran due notti da passare. Lui mi parlava di Lubrani. Ma se stavo da solo era peggio. Quel che pensavo stando solo non mi sarebbe mai piú uscito dalla testa.

Verso sera Carletto mi domanda: – Cos'hai che non va?

– Perché, ho qualcosa?

– Sai che cosa facciamo? – mi disse. – Vatti a pigliare la chitarra e ci troviamo un posto al caldo. Si beve una volta.

– Né chitarra né sbronza, – gli dico. – Non ho voglia di niente.

– Ma io sí, – dice lui.

Carlandrea ci guardava dal solito posto. Vide venire la bottiglia e cominciò a soffiarsi il naso. Carletto riempí i due bicchieri e mi chiese una cicca. Io gliel'accesi e in quel momento vidi Amelio nel letto.

– C'è qualcuno che ride stavolta, – dissi brusco a Carletto. Non mi tenni. Carletto restò a bocca aperta, e lasciò il fumo uscire adagio. «Qui mi gira la testa, – pensai, – non ci resisto».

Allora dissi piú tranquillo: – Dài da bere al vecchiotto. Son soltanto tre giorni che ho preso una sbronza. Non resisto.

Carletto disse: – Vuoi che andiamo al Varietà?

Mi misi allora con la testa sulle braccia, come se fossi troppo stanco. Sentii che Carletto parlava col vecchio. Sentii che il vecchio era venuto al nostro tavolo. Il tavolino era di marmo e chiusi gli occhi.

Mi ricordai quella mattina ch'ero andato da Amelio con lei. Mi ricordai quand'era entrata e che cosa diceva. Allora aveva la sciarpa celeste. Mi ricordai che ero scappato. C'eravamo urtati col fianco in cucina. Tutto quel fatto non aveva un senso, allora. Tutto doveva ancor succedere. Era come se allora fosse stato quest'oggi. Solamente adesso capivo il perché.

Ci pensai sopra, cosí solo, per un pezzo. Sentivo Carletto burlare quell'altro. Poi sentii che dicevano qualcosa di me. Rialzai la testa e feci finta di svegliarmi.

Tutta la notte stetti solo, e l'idea che dovevo passarne ancor una mi toglieva il coraggio. Ogni tanto dicevo delle

cose nel buio. M'abbracciavo stretto al cuscino e dicevo
qualcosa. Quel che pensavo, ormai l'avevo già pensato tante volte, che era come gli scalini di casa.

L'indomani girai da solo tutto il giorno, e non era mai
sera. Si mise a piovere, acqua e neve, e pensavo: chi sa se
piove anche a Milano. Dovevo andare al Mascherino, e a-
desso l'idea di trovarci qualcuno, Carletto, della gente cosí,
mi faceva piacere. Mi faceva piacere pensare che ci avrei
passato la notte. Rimandavo il momento di andarci: mi pareva di perder qualcosa a non essere piú solo in quell'ultima sera.

Carletto disse: – Ti ho trovato una chitarra. Stavolta
facciamo la festa noialtri –. Erano attori che partivano per
Roma e che sarebbero venuti al Mascherino a mezzanotte.

Vidi un buon segno in tutto questo e dissi: – Ieri stavo
male. Da' qua la chitarra.

Carletto disse che l'avrebbero portata quegli amici. – Per
adesso beviamo.

– Tu fai bene, – mi disse sul vino, – a non sprecarti nei
teatri. Sei piú dritto di tanti. Prendi me che per vivere ho
dovuto cantare.

– Ma tu sei bravo.

– Cosa c'entra? Un Lubrani c'è sempre.

Gli chiesi allora perché non cercava lavoro con altri.
– Sai com'è, – disse lui, – mi hanno fregato quella volta. Tu
non sai quanti uffici bisogna passare per avere un permesso.
Lubrani ha di buono che piglia occhi chiusi.

– E non puoi, – dissi adagio, – fare un altro mestiere?

– Non si cambia mestiere, – disse lui. – Cambi donna
magari, ma non cambi mestiere.

Guardò il bicchiere e lo vuotò.

– È un mestiere carogna, – riprese, – tu mi piaci perché
non lo fai.

– Se fossi in grado, lo farei.

– Va' là ti conosco, – mi disse. – Una volta ero anch'io
come te. So che ti piace vivere solo e indipendente.

Non ci pensavo che Carletto era piú vecchio. Con quel
testone e gli occhi chiari era ancora un ragazzo. Eppure aveva una Dorina in qualche posto e le pieghe alla bocca, e
ghignava.

– Ieri sera, – gli dissi, – volevo cambiare mestiere. Ero
a terra deciso.

Mi guardò sotto sotto e cacciò un po' di fumo.

– Ti capisco, – mi disse. – Stavi meglio una volta.

Quando arrivarono gli amici, eravamo ancor qui. Arrivarono quando si accese la luce centrale e l'orchestra attaccava. Brava gente – Luciano, Fabrizio, Giulianella. Con quei romani mi sembrava di esser solo e in compagnia. Una razza diversa: potevo scaldarmi con loro, e potevo stare da una parte a vederli mangiare. Per noi ci fu quella saletta dove nessuno entrava mai. Su una chitarra è presto fatto andar d'accordo. Era già giorno che suonavo ancora.

X

Suonavo di gusto perché adesso era giorno, e nel momento che avrei smesso la chitarra qualcosa finiva. Non sarei piú tornato indietro.

Dovevo aspettarmelo che Linda, appena soli, avrebbe detto: – Che cos'hai?

Tante bugie c'eravamo raccontate, tante cose avevamo taciuto, che anche stavolta dissi: – Niente.

Lei mi disse: – Sei pazzo –. Si sedette sul letto e si tolse il cappello. – Dammi un bacio, – mi disse.

Le diedi un bacio sulla faccia e ci prendemmo le mani. Era come baciare una pianta. Lei riaprí gli occhi e mi guardò.

Ero sicuro anche stavolta che ci stava volentieri. Era sempre la stessa, con la sciarpa slacciata. Mi guardava delusa e contenta.

– Sono stanca, – mi disse. – Vado a letto.

Si mise a letto. Io mi alzai passeggiando. – Voglio fumare, – disse. Senza parlare, accesi a me poi gliela diedi.

– Sai, – mi fece. – Ha il suo bello anche questo. Fosse possibile esser sempre buoni amici e quando càpita qualcosa che uno è stanco e non ha voglia di baciare, discorrere insieme e magari star zitti e aiutarsi cosí.

Io non risposi, e la guardavo.

– Che cos'hai? Vuoi uccidermi? – disse. – Sai che forse mi sposo? Non mi chiedi con chi?

Io non capivo perché invece di gridare e litigare avrei voluto essere sotto, essere in strada. Mentre lei discorreva pensavo che ieri prima di entrare al Mascherino ero stato, per qualche momento, felice.

– Mi batte il cuore, – disse Linda. – Perché so che ci soffri. Senti, – e mi prese una mano e se la mise sulla pelle. Toccai quel calore e stringevo le dita. Poi strinsi ancora e lei gridò.

Si mise a ridere. – Non parli e mi maltratti, – disse piano. – Non sono mica la chitarra.

Quando scesi le scale era notte alta e pensai che potevo dormire. Feci un pezzo di tram con la testa appoggiata al finestrino. Chiudevo gli occhi e mi assopivo; avevo in mente quei mattini ch'ero rientrato a prima luce.

L'indomani mi rimisi con Milo e partimmo per Genova. Era un trasporto con rimorchio, piú difficile. Il meccanico fu contento di darmi il suo posto e metà la condotta: rimase a Torino. Era l'unico modo che potessi ancor vivere. Quando uscimmo di barriera, fui quasi contento.

Milo a Genova aveva una ragazza e passò a salutarla. Io restai solo, in quelle strade, e girai fino a notte. C'era un vento che screpolava le labbra, e adesso sí l'odor del mare si sentiva. Faceva scuro e dondolavano i lampioni sulle viuzze. In sostanza l'odor di mare era come Torino quando in montagna ha nevicato e fa sereno. Davo dei morsi in quell'odore come un cane, e cercavo il terrazzo dov'ero stato con Linda, l'osteria di allora. Linda l'avevo nella pelle come il sangue, ma il mare lo vidi da un altro terrazzo.

Nel ritorno, l'idea che rientravo a Torino mi tenne occupato. Appoggiavo la testa al tramezzo e cercavo di dormire. Mi sembrava di vivere in mezzo a un pericolo, a qualcosa di già capitato e deciso. «È già tutto capitato, – dicevo, – e son qui». Milo mi disse: – Quando attacchi, fai piú piano. Se mi scassi la leva, restiamo per strada –. Poi riprese a parlare di quella ragazza di Genova.

Passai cosí diversi giorni, all'osteria e sopra i camion. Bevevo, correvo, dormivo a casaccio. Entravo in casa solamente per pigliare sigarette. Mia madre disse: – Non ti cambi la camicia? – Mi ero messo un maglione con sopra la tuta. – Vado a Biella, – le dissi, – mi conosce nessuno –. Seppi che Amelio era da un pezzo andato via da casa sua. Avevan preso un pianterreno e un negozietto chi sa dove. «Proprio adesso che tutto è finito» dicevo. Ma mi fece piacere non saper dove stava. Pensavo a Linda che sapeva dove stavo e passava ogni sera nel solito bar.

Ma Carletto lo posso vedere, mi dissi una sera. Passai davanti al bar di Linda e di Lubrani; passai davanti alle vetrine di una sarta. L'ultima volta ch'ero andato per quei portici ero ancora con Linda. Alzai gli occhi alla torre Littoria. Mi ricordai di quando uscivo dal portone di Linda e vedevo la torre attraverso la piazza. Magari anche lei ci pensava passando.

Al Mascherino non trovai nessuno, se non quel vecchio Carlandrea e le ragazze. Il cameriere non mi seppe dar notizie. Allora andai fino al teatro e non sapevo cosa fare e cominciavo a disperarmi. Guardavo svogliato le foto di quelle ragazze incollate ai cartelli – quante volte le avevo vedute passando – ed ecco che vedo Carletto, la foto di lui, quella in nero, elegante, piegato avanti che rideva. «Ce l'ha fatta, – pensai, – meno male». Ma mi sembrò di aver perduto qualche cosa e mi dispiacque, perché adesso anche lui lavorava per l'altro.

Stetti un poco davanti al teatro. «Se non faccio qualcosa, – pensavo, – comincio a correre le strade e parlare da solo». Avevo un gatto dentro il sangue, che graffiava. Allora chiesi alla cassiera quando finiva lo spettacolo. «Anche questa lavora per l'altro, – pensavo, – non gli bastano i corpi di ballo». La cassiera mi disse che potevo aspettare, perché uscivano dalla porta d'ingresso.

Allora entrai nel Mascherino e mi sedetti a una vetrina scura scura. Anche aspettare è far qualcosa. Per calmarmi bevetti del vino. Poca gente passava su e giú davanti all'ingresso.

D'un tratto vidi nella luce Carletto con altri. S'eran fermati a far discorso; poi comparvero Linda e Lubrani. Traversarono la strada tutti quanti.

S'erano accesi in quel momento i lampadari. Chi mi vide fu Linda, e parlò con Carletto. Mi fece un cenno con la mano e non si mosse.

Io stavo già per andar via, quando Carletto mi tagliò la strada. – Le signore ti aspettano, – disse. Era vestito in giacca nera e spettinato.

– Chi si vede, – gli dissi. – Hai fatto pace col padrone?

– Sai com'è, – mi rispose. – Non vieni?

Io lo feci sedere e gli offersi del vino. – Quand'è che facciamo una festa noi due? Ho una chitarra che non suona piú da mesi.

– Vieni a prendermi un giorno all'uscita, – disse lui.

– Ah Carletto Carletto, basta poco a calmarti. Com'è che non sogni piú i gatti?

In quel momento arrivò Linda e mi chiese perché trattenevo Carletto.

– Non trattengo nessuno.

– Mi posso sedere al tuo tavolo?

Suonò l'orchestra e lei si alzò e mi disse: – Balli?

Ballando cercava di farmi parlare. – Che ti piglia? – diceva. – Io ti ho aspettato tante volte in questi giorni. Tu non mi hai mai voluto bene, è questo il fatto.

Gliene dissi di tutti i colori; lei stava a sentire. – Pablo, – mi fece, – vuoi che usciamo noi due soli?

Quante cose mi disse, lassú abbracciati.

– Mi hai trattata come fossi una serva, – mi disse. – Io, ho dovuto aspettarti; io, parlarti.

– Giravo sempre giorno e notte, non volevo pensarci mai piú.

– Vedi bene che è inutile, – disse. – Sei qui.

– Me ne andrò un'altra volta.

– Sei cattivo, – diceva, – non le puoi dire queste cose.

– Sta' zitta, – dicevo, – sta' zitta.

– Tu mi vuoi bene ma non sei mio amico.

– Non è meglio esser qui noi due soli? – le dissi. – Voglio te sola, nessun altro.

– Vorrei vedere lo volessi, – disse ridendomi all'orecchio.

Poi le chiesi un'ultima volta, che vivesse con me. – Ti perdono, – le dissi. – Ti prendo come sei. Da stanotte cominciamo.

Mi rispose nel buio che voleva provare.

Scendemmo insieme l'indomani nel caffè. Mentre beveva il cappuccino, mi guardò. Disse: – Pablo, ritorni stasera?

– Non me ne vado tutto il giorno.

– È impossibile, Pablo. Devo salire a lavorare. Tu quest'oggi che cosa farai?

Cosí alla sera andammo insieme al Paradiso, e tutto fu come una volta. – Certi giorni, – mi disse, – sei proprio impossibile. Non capisci che ognuno è una cosa diversa e che quello che faccio riguarda me sola. Tu non hai degli amici?

– Li ho piantati.

– Come hai fatto con me. Ma non serve. Con ognuno è una cosa diversa. C'è il suo bello con tutti.

Mentre parlava, mi ero accorto di esser solo. Me ne accorsi di colpo e fui quasi felice. Sapere che, dopo esser stato lassú nel suo letto, avrei disceso quella scala e camminato, traversato Torino e dormito da solo, mi diede un urto come un sorso di liquore. Non m'importò piú di nient'altro e dissi adagio: – Hai ragione anche tu –. Linda mi prese le mani contenta.

Stemmo insieme la notte. L'indomani era inteso che viaggiavo con Milo, e sapere che Linda mi avrebbe aspettato era piú bello che dormire con lei. Era questa la vita di Amelio. Traversando la piazza nel buio, fui felice.

Qualche volta, quelle sere, vedemmo Carletto. Noi si cenava al Mascherino come prima e senz'esserci data parola uscivamo sul presto per non fare le notti di un tempo. Ma Carletto non era un ingombro; se la rideva qualche volta a vederci arrivare, e si alzava e scostava la sedia per Linda. Veniva sempre al Paradiso a cercare Lilí.

Una sera ci disse: – Domani ritorna la torre Littoria.

Io non sapevo che Lubrani fosse fuori. Vidi Linda arrossire e piantargli gli occhiacci. «Ecco, – dissi, – arrossisce». Non l'avevo mai vista arrossire.

D'improvviso capii che Lubrani era fuori da quel giorno che Linda mi aveva ripreso.

Linda gli disse: – Cosa credi di aver detto?

E Carletto: – Qualcuno ha finito di star bene.

Vidi Lilí toccargli il braccio e dirgli: – Smettila.

Lui divenne cattivo. Ce l'aveva proprio con Linda. – Mi fa rabbia che tratti cosí, – disse brutto. – Mi fa rabbia che trovi qualcuno che ti crede ancora. Sai benissimo quel che sei ma non parli. Siete tutte le stesse, anche questa, anche tu. Voi la carriera non la fate in palcoscenico.

Mentre Lilí si disperava, Linda non disse una parola. Lo guardava parlare calma calma, ridendo. Poi gli prese il bicchiere e, fissandolo sempre, sorseggiò un po' di vino. Glielo rese. Carletto le fece un inchino. Scoppiarono a ridere.

Io di quel fatto non parlai con Linda. Quando tornammo verso casa, andava zitta, preoccupata. Finí che disse: – Quell'idiota. – Forse Lilí l'ha maltrattato, – dissi appena.

Ci fermammo al portone. – Cosí domani torna lui? – le chiesi.

Lei mi guardava sotto sotto e disse: – Mah.

– Ci vediamo la sera?

– Sicuro.

Fui contento di andarmene a casa. L'indomani suonai tutto il mattino. Studiai di voglia e stavo bene nella stanza; dalla stufa veniva l'odore di brodo. A mezzodí passò il meccanico di Milo, che comprava il suo toscano e parlò di politica. «I discorsi di Amelio, – pensavo io. – Li porta il me-

stiere». Ce l'aveva con quelli che mangiano i soldi del popolo e han bisogno che non si protesti, per poter digerire.
– Ma stavolta la pignatta è andata per fuoco, – diceva. – Se
ne accorgono in Spagna. Non so se mi spiego.

   – Solo i fascisti mangiano? – gli dissi.

   – È la cucina che è fascista, – disse lui. – Non c'è bisogno di portare la camicia.

XI

Io adesso sapevo cos'era Linda per me. Mi bastava pensare a Lilí per capirlo. A Lilí che con tutti ci stava e pensava soltanto alle scarpe da ballo. Sarebbe stato cosí facile pigliarla e innamorarla. Sarebbe stato come un gioco. Non entrava nel sangue a nessuno, Lilí.

Senza nemmeno dirmi grazie, Linda si mise con Lubrani. Mi fece dire al Mascherino che doveva lavorare. Andai la sera al suo portone, la cercai, lei non c'era. La cercai l'indomani nel grande atelier. Le ragazze ridevano. Mi parlò in un salotto, irritata.

– Ne ho abbastanza, – diceva.

Poi se ne andò. Poi ritornò dentro il salotto. – Non capisci che qui lavoriamo, – mi disse. Si lasciò prendere le mani, restò ancora un momento.

– Ci vediamo stasera, se posso.

Io quella sera andai con Milo a Moncalieri. Mi portai la chitarra. Ci chiudemmo da un oste. – Niente ragazze, – dissi a Milo, – non ne bevo –. A mezzanotte, dalla strada, una bussò nella finestra. Volevano entrare a sentir la chitarra. – Pigliati guardia, – dissi a Milo. – Non sei storpio né gobbo, – mi disse, – perché? – Pigliati guardia –. Ero ubriaco. Allora Milo guardò fuori e disse: – Aspetta –. E ritornò dopo mezz'ora, che parlavo da solo.

«Come Amelio, – dicevo, – mi ha fatto fuori come Amelio». Milo mi disse: – C'è una bionda che ti cerca –. Mi portò in un boschetto di foglie marce. La bionda aspettava appoggiata a una pianta. Si scivolava sulle foglie e quella disse: – State dritti –. Non faceva un gran freddo e mi appoggiai contro la scorza. Milo gridò: – Trattalo bene.

Fece tutto la bionda, fu lei che mi chiuse il paltò. Quando Milo mi spinse sul tram, non parlavo. – E domani si parte, – mi disse, – tu guidi.

Per un mese fui sempre ubriaco. «Come Amelio, – pensavo, – mi ha fatto fuori come Amelio». Avevo in mente che bevendo mi sarei voltato il sangue. All'idea che finita una sbronza pensavo già all'altra, mi veniva da piangere. Milo mi disse: – Fatti furbo, – e le giornate s'allungavano. Stare ubriaco tutto il tempo era fatica. – Siamo in marzo, – mi disse, – si lavora di gusto. Tu cos'hai per la testa? – Io non parlavo e lo seguivo a denti stretti.

In quel mese viaggiammo a Biella e Novara; tornammo a Casale; non so quel che feci. Mi rimase soltanto che rincasavo la mattina, che dormivo al caffè, che correvo sopra il camion. Una volta saltai su una ruota già in marcia, e caddi a terra sull'asfalto e mi sembrò di essermi ucciso. Fu come un pugno in mezzo agli occhi e per un attimo credetti di guarire. Milo gridava e mi chiamava: io gli feci una faccia da scemo e dicevo felice: – Non ero ubriaco. Sto bene così.

Mi ricordo che in tutto quel tempo mangiai come un lupo. Mangiavo in casa, mangiavo sul camion, mangiavo a Casale e Novara. Solamente mangiando quel male s'assopiva. Ma così mi facevo piú sangue e soffrivo di piú. Tutte le forze le mettevo in quel far sangue.

Milo diceva che dovevo dar l'esame di patente e diventare camionista. Non volli saperne. Guadagnavo qualcosa cosí di straforo, l'officina l'avevo disertata, non avevo fermezza per far di piú. Nel caffè degli autisti giocavo: tutte le notti, se non era la chitarra, era il tresette; giocai secco e ci persi dei soldi. Anche in questo, per riuscire ci voleva passione; io pensavo a tutt'altro; andai piano. Milo diceva: – Tu hai un vizio. Non porti le cose alla fine.

Ma le cose succedono loro. Carletto non era partito. Una sera di marzo mi sento chiamare per strada. Non aveva il paltò. – L'ho venduto, – mi disse, – sono di nuovo al pianterreno. E tu perché non mi saluti? – Camminando e parlando s'arrivò al Mascherino. Quando s'accorse ch'io volevo tirar dritto, disse col solito sogghigno: – Sta' tranquillo. Non ci viene nessuno da un pezzo.

Entrammo dentro. – Tu sei stato all'ospedale.

– Magari, – mi fece, – ma non prendono gente che mangia.

Io pensavo: «Chi sa chi sta peggio, dei due», e gli diedi una cicca e toccavo se avessi una faccia cosí.

– Mai piú visto nessuno? – mi chiese.

– Nessuno.

Feci venire un uovo al burro e glielo offrii. – Tu non mangi? – mi disse, – una volta mangiavi.

Quella sera mi prese una brutta allegria. Era Carletto che mi aveva aperto gli occhi. Mangiai con lui, lo feci bere, ci toccammo la gobba. – Sono contento che Lubrani te l'ha fatta, – gli dicevo.

– E pensare che a Roma Dorina mi aspetta, – mi disse. – Là si mangia.

– Sei sicuro che aspetta?

– Non si sa mai, – disse ridendo, – non si sa.

Da quella sera ci vedemmo qualche volta. Carletto dormiva in un buco nel teatro, col custode notturno. – Lubrani mi passa l'alloggio, – mi disse. – Ecco una cosa che Lilí non ha mai fatto.

– L'hai piú vista?

– Ho venduto il paltò.

Mantenerlo cosí mi sfogava. Andavamo a mangiare e pagavo. Mi pareva di averci una donna. – I primi soldi che guadagni, – gli dicevo, – tu prendi il treno e scappi a Roma. Mi dispiace.

– Se torno a Roma ti ripago.

– Scemo. Chi parla di pagare?

Tanto fece, che venne a trovarmi in negozio. Carlottina lo prese in disgrazia e lo guardava inferocita. Lui le disse: – Chi sa se cantassimo insieme –. Volle vedere la chitarra e la provò. – Facciamo un trio, noi cantiamo e Pablo suona. Giriamo le piazze e lei sporge il cappello –. La seccò per un pezzo e Carlottina brontolava. Stava per dirgli: «Brutto gobbo». Allora presi la chitarra e uscii con lui.

Carletto trovò in quelle sere da cantare in un cine. Era a casa del diavolo, oltre Dora un bel pezzo. – Me ne intendo, – mi disse, – è tale e quale un gran teatro –. Qui gli serviva piú la gobba che la voce. Cantava la storia di un ebreo ch'era incinto di schiena e, come alle donne gli cresce la pancia, a lui cresceva quella gobba a vista d'occhio. Poi sulla gobba due ragazze gli piantavano una fiamma tricolore, cantavano «Va' fuori d'Italia» e gli davano calci. La gente rideva e fischiava.

Lavorò qualche sera cosí, guadagnò venti lire, poi lo misero fuori sul serio. Io per fargli coraggio gli dissi che andassimo a cantare insieme. – Nei cortili alla peggio ci buttano l'acqua in testa. – Io per me ce la faccio, – disse lui, – non credere –. Allora andammo con chitarra e canzonetta

nei cortili fuori mano. Io lo feci cosí per provare; mi rende-
va di piú una condotta con Milo, ma volevo aiutare Carletto. E poi, ridurmi a questo punto mi sfogava. C'era un piacere di sentirsi a terra, di esser come schiacciato e non ce-
dere. Girammo tutta una mattina. Dopo un poco lasciammo
i cortili e cantammo per strada. Per me era niente, ma Carletto venne rauco. Lo accompagnavo solamente, e stavo attento ai portinai. Ma a raccogliere i soldi che le serve buttavano non ero capace. Mi sembrava di andare per cicche. Mi
stupí quanti soldi piovevano. Dissi a Carletto: — Sono tuoi,
devi raccoglierli —. Tutto insieme, non fece due lire.

Lasciavo Milo e mi trovavo con Carletto. Stando con lui
sentivo meno la giornata. Non parlavo di Linda. Mi bastava
sapere che lui lo sapeva. Ero ancora intontito. Mi sentivo
un affanno nel sangue, non potevo guardare una donna.
Quelle mattine fresche fresche, quelle sere da prato – chi
sa com'era il mare adesso. Certe volte pensavo che Linda
potendo mi avrebbe ripreso e mi veniva compassione anche
per lei. Quante volte l'avevo piantata e ripresa. Forse era
lei che ci soffriva piú degli altri, e scherzava cosí perché tanto sapeva. Forse quello che adesso capivo, anche Amelio
l'aveva capito. E allora tutto era deciso da quel giorno ch'e-
ra venuta nel negozio a dirmi Pablo. E di nuovo sentivo
graffiarmi nel sangue, perché di me s'era servita per giocare.

— Tu Carletto, — gli dissi, — ti è mai successo che una cosa era decisa da qualcuno prima ancora che tu la facessi?

Parlammo un pezzo, e lui diceva che è cosí per tutti
quanti. Che c'è sempre qualcuno che si mette di mezzo, e
si vorrebbe dir la nostra e non si può.

— Ma il bello invece è dir la nostra.

— Si capisce, — mi disse. — Ma troppa gente ha un interesse a comandarti.

— Non è questo che dico. Voglio dire le cose che si fanno
per capriccio. Il bicchiere che bevi, la cicca che fumi, le ragazze che trovi.

— Troppa gente ha interesse. Quello che bevi e che fumi
lo dice il padrone.

— E le ragazze?

— Te lo dice il padrone. Se non puoi lavorare e guadagnare, me le saluti le ragazze.

Non capii piú quel che volevo dire. Lui Carletto aspettava, con gli occhi da gatto. Avevo in mente un'altra cosa,
ben diversa.

– Vedi quello che han fatto in Italia, – mi disse. – Sei padrone di muovere un dito? Puoi lavorare se non hai la carta? Se non chini la testa ti dànno un boccone?

– Io vado in camion senza niente.

– Quel che puoi fare è suonare la chitarra. E in sordina. E nemmeno cantare, perché prendi la multa.

Ecco, pensavo, la chitarra. La chitarra è una cosa che faccio, se voglio. A Novara ci vado, se voglio. Alla tampa ci vado. Con Carletto discorro. Tutto quel che faccio cosí per capriccio, lo faccio da me. Ma le cose importanti, le cose che buttano a terra, queste cose succedono per conto loro. Vengono addosso come un camion, come una brutta polmonite, e dietro c'è qualcuno che ci gode e che gioca.

– Chi vuoi che sia? il Padreterno? – disse lui.

– Se allora c'è, c'è dappertutto, – disse ancora. – Anche dietro alle cicche e alle torri Littorie.

Vennero sere che sapevano un odore di campagna. Quant'avrei dato per andare al Paradiso come prima. Queste sí ch'erano notti da farci l'amore. Alle volte guardavo passando certe vetrine da donne. Milo voleva che portassi la chitarra con me, e una domenica a Pianezza mi fece suonare sul muretto di un ponte mentre passavano ragazze. Si misero perfino a ballare. Da quel muretto si vedeva la pianura, e pareva un terrazzo di Genova. Questa volta capii ch'ero storto sul serio. Mi venne voglia di buttare le ragazze giú dal ponte, e fortuna che c'era da bere e che Milo rideva. Ma ne avevo abbastanza e capivo che ormai tutta quanta Torino e il mestiere e le strade e le pietre di casa non bastavano piú a darmi pace. Neanche l'idea che Carletto non aveva da mangiare, mi teneva tranquillo. Diventavo carogna. Vederlo affamato mi disgustava, perché capivo che se avesse avuto i mezzi mi avrebbe piantato anche lui.

– Non c'è pericolo, – mi disse, – non vuoi mica che parta senza farmi un vestito. A Roma non posso arrivare cosí.

Mi parlava di Roma, come Milo di donne. Mi diceva che Roma è una grande città dove tutti ci mangiano e dànno da mangiare. – C'è tanto grasso, – mi diceva, – che lo senti nell'aria. Nessuno chiude nemmeno la porta di casa. Là si vive e si mangia per strada.

– Non è piena di torri Littorie?

Lui ghignava, e abbassò la voce. – Anche a questo qualcuno ci pensa, – disse. – Ci sono i dritti, ne conosco.

Poi raccontava che le strade sono fatte a montagnola e

che dietro ai palazzi si vedono i pini. – Si può star fuori notte e giorno, – mi diceva. – A quest'ora è già estate. Roma
è tutta osteria, e ci fa sempre sereno. Giri di qua, giri di là,
vai fuori porta. Dappertutto la gente è a merenda, che gode. Tu hai la chitarra, faresti fortuna.

Finí che un mattino dissi a Milo: – Vado a Roma.

– Non è mica Pianezza, – rispose. – Si sta fuori sei giorni.

– Voglio andare e restarci.

– Ti costa meno farla in treno, – disse lui.

– Siamo in due.

Allora Milo mi guardò e mi disse: – Buono.

XII

Quando arrivai a Roma sul camion che Milo mi aveva trovato, ero contento di aver fatto tanta strada e che al mondo ci fossero degli altri paesi, delle città, delle montagne, tanti posti che non avevo mai visto. Arrivammo di notte. Carletto dormiva appoggiato al conducente. C'eravamo fermati a cenare in un paese di mezza collina; e in quella bettola con due corna di bue attaccate al soffitto e i paesani che gridavano come se fossero signori, avevo smesso di pensare a casa mia. Era bello sapere che Amelio non era mai stato laggiú. – Questa volta, – dicevo a Carletto, – l'abbiamo decisa noialtri.

– Non si sa ancora, – disse lui. – Ci è andata bene.

Faceva fresco quella notte, e il conducente ci lasciò in fondo a un viale, sulla riva del fiume. Io non volevo andare a casa e svegliare le donne. – Camminiamo per Roma, – dicevo, – fra tre ore è mattino –. Ma avevamo chitarra e bagaglio. – E se passa una ronda? – diceva Carletto.

Dorina stava su una piazza in capo a un ponte. – È ponte Milvio –. Io camminavo e mi guardavo intorno. C'erano case a dieci piani e da ogni parte le colline illuminate. Non passava nessuno. – Sembra d'essere a Torino nel centro, – dicevo. – Invece siamo in barriera.

Mi svegliai l'indomani in casa d'altri, su un sofà basso basso. Non ero in casa di Dorina; la notte vedendoci, Dorina e le figlie e la nonna avevan fatto tanto chiasso che le porte vicine s'erano aperte, e siccome non c'era altro posto m'aveva preso in casa sua una vecchia grassona che spuntò sulla scala in camicia da notte e con Dorina si gridarono come fossero in urto. Ma era il fare di Roma, e la vecchia mi disse di entrare da lei che non aveva ragazze e le piacevano chitarre e giovanotti. Mi misi a letto e fui contento di lasciare che gli altri si facessero festa.

Mi svegliai l'indomani ai rumori della strada, ma la casa era zitta e faceva giorno da un pezzo. M'accorsi subito che l'aria era diversa, e sembrava piú chiara e piú asciutta – era come il sereno di luglio in un giorno di gennaio. – Che cos'è quest'odore? – dissi alla vecchia che girava. – È il caffè, – disse lei, – ne volete una tazza? – Ma non era soltanto il caffè; quando uscii lo sapevo. Sulla piazza, davanti alle due statue del ponte, c'era una squadra di stradini che bollivano il catrame. «Anche Roma è un paese civile» pensai.

Ci sistemammo che dormivo dalla vecchia, la Marina, e mi vedevo con Carletto tutto il giorno e mangiavo con loro. Dorina era ancora piú grassa della foto di Genova: sembrava una mamma, la mamma di Carletto, ma era giovane. Girava per casa in vestaglia e gridava alle figlie – ne aveva due, due bambine, eran le figlie di un socialista ch'era dentro. Caso strano, Dorina che sapeva cantare e che aveva cantato, non parlava dell'arte. Trattava me e Carletto come fossimo dei poco di buono, dei perditempo e giocoloni, ma con me disse subito ch'ero stato un tesoro, non ci pensassi e andassi a spasso. Non mi chiese che cosa avrei fatto per vivere. Le offrii dei soldi e non li volle. Disse a Carletto che al teatro lo aspettavano, e Carletto ci andò e fu accettato; io pensavo che quando una donna ti prende per figlio, o è già sposata o tu sei gobbo. Come facesse a divertircisi Carletto, non so. Era proprio un ragazzo, Carletto, e ghignava. Quando gli dissi che tutto capivo ma non rubare la ragazza a chi è in prigione, mi rispose che una donna si ruba sempre a qualcuno e bisogna sbrigarsi, perché poi viene il giorno che la rubano a te. – Ma è in prigione, – gli dissi. – Si sa già, – disse lui. – Chi va in prigione lo sa che la donna si spassa. Non puoi vivere a Roma senza farci l'amore.

Uscimmo insieme con Dorina e andammo a cena in trattoria. A lei piaceva accompagnare il suo Carletto al Varietà; era un piccolo palco in un cinema del centro, e la gente intorno gridava e parlava, come fosse la piazza del paese. Carletto finito il suo numero tornava da noi. Si mangiava insalate e frittelle, quel vino giallo non mi piacque il primo giorno, ma poi ci feci la bocca e bevevo e cianciavo. – È un destino, – dicevo a Dorina, – che dappertutto dove vado vivo sempre all'osteria.

– Tu non hai una casa, – mi disse. Il tu me lo diede piú tardi, ma tant'è.

– Esco appena da casa; son sempre stato fra sottane.

– Ci stai bene, – mi disse. – Devi restarci se vuoi farti una tua casa.

La guardavo e ridevo. Mi piaceva di Roma proprio quel fare perditempo che si sente nell'aria. Se bevevo un bicchiere non era piú come a Torino; non bevevo di rabbia e cosí per torcermi il sangue. Tutto, la gente, quelle case, il vino chiaro, me lo sentivo entrare dentro e ricrearmi. Sapevo di viverci e che avrei lavorato, che avevo dietro tanta strada e le montagne; mi faceva l'effetto ogni giorno di scendere allora dal camion e che, volendo, tutto il mondo era una strada come Roma. Se mi tornava quella rabbia di Torino, stringevo i pugni, alzavo gli occhi, mi muovevo, e pensavo che Pablo era a Roma. Bastava. Ero un altro, stavolta.

Con quei pochi che mi ero avanzato da casa, facevo la mia figura. La Marina mi prendeva cento lire, e mi dava il caffè, mi lavava la roba. Le comprai delle arance e una volta suonai la chitarra. Era grassa anche lei ma cosí vecchia che non poteva camminare. La mattina se ne restava seduta in camicia e sottana, e mi guardava farmi la barba e mi diceva ch'ero giovane. In quel letto, mi disse, ci aveva dormito una bella figliola, piú bella ancora di Dorina – piú fresca e piú giovane: si pettinava a quello specchio come me, si lavava la bocca a quel mio lavandino. Era bruna, si chiamava Rosario.

– Quanto chiede? – le dissi voltato allo specchio.

La Marina, seduta, rideva. – Voi di Torino mi piacete, – chiacchierò. – Non sapete mangiare il finocchio. Volete arrivar subito alla polpa e buttate via tutto. Non ha polpa il finocchio.

– Qualche volta ci resta nel gozzo, – le dissi.

Ma Rosario, mi disse, era un'altra faccenda. Da due anni faceva fortuna; era stata a Fregene e ci aveva trovato un signore coi fiocchi. Era sua mezza Roma.

– Lei lo bagna nell'olio il finocchio, – dissi.

E Marina a spiegarmi che Roma era come una botte. Si dimenava sulla sedia e si lagnava. – Se non fossi una vecchia, – diceva. – A noi romani piace troppo mangiar bene e andare a spasso. Siamo al punto che vedi. Quando son nata si viveva in Campitelli; per venire quaggiú la domenica dovevi fare testamento. Ebbene credi che tutte le case e le strade e i palazzi dal Flaminio fin qua li abbian fatti i romani? Ne ho viste tante, credi a me. Tutto voialtri avete fatto, voi siete, tutto voi forestieri. Noi si aveva le pietre, e chi sapeva ch'eran soldi?

– A me le pietre non mi dicono, – risposi.

– Tu non fare Carletto, – mi disse. – Quando ti ho visto la chitarra nelle mani, ci ho patito. Con tanto che godo a sentirti suonare, voglio vederti far di piú. Prendi anche lui, prendi il Padrone. Quello viene dai vostri paesi.

Allora uscivo e andavo a spasso. Mi guardavo le strade e i palazzi, e ce n'erano di cosí vecchi e mai visti, che soltanto i romani li avevano fatti. Non ci potevo quasi credere che della gente come me ci avessero messo la mano. Anche l'aria, il respiro era un altro. Mi fermavo sopra un ponte, guardavo, e ascoltavo parlare. C'eran colline e certe piante che da noi non si vedono. Quella vecchia Marina diceva per dire. Se stavo bene in quelle strade era soltanto perché tutto mi pareva un'altra cosa. Eppure a volte, traversando ponte Milvio, le sere di luna, c'era quel salto di collina sopra il Tevere e quei boschi lontano, che sembravano i boschi del Po e la scarpata di Sassi. Tutti i paesi visti sotto una collina sono uguali. Mi piaceva piú quel pezzo che i palazzi di Roma. C'era un viale di platani allo sbocco del ponte che mi pareva il Valentino o Stupinigi. Ci passavano molti camion che andavano fuori. Nelle osterie si vedevano stradini e muratori, c'era odore di calce, tutto il giorno battevano mazza e piccone.

– Anche a Roma lavorano, – mi disse Carletto. – L'impresario è a palazzo Venezia. Chi si fa i soldi non lo sa nessuno. Tiran su delle torri, dei ponti, dei cessi. Non importa che cosa.

– Ma la gente ci vive.

– Anche in galera c'è chi vive. Là ti dànno anche il rancio.

Una cosa poi mi disse la vecchia Marina. Mi aveva cercato tra la roba e sembrava scontenta. – Non sei del Fascio, – disse un giorno. – Non hai con te quella camicia.

– C'è bisogno di averla?

– È la sottana che fa il prete. Non te l'ha detto mamma tua? Vieni a Roma per fare quattrini o per spenderne?

Scosse la testa e disse ancora: – Stacci attento. Dei piú furbi di te sono finiti in quel posto.

Con il Fascio Carletto e Dorina ce l'avevano a morte. Ma era qui che Dorina maltrattava Carletto. Quando le figlie non rientravano a tempo, quando rompevano qualcosa, quando in piazza i balilla le facevano scappare, cominciava la nonna a lagnarsi che vivessero in strada, che vestissero quella divisa; e Dorina a gridare che se un uomo non capi-

sce quel che succede nel mondo, cosa possono fare le donne? Ce l'aveva con Carletto e col marito carcerato. Ce l'a-
veva con gli anni persi, coi conti sbagliati, coi quattrini non
fatti. Rinfacciava a quell'altro di esser stato un illuso; a
Carletto di ridere e prendere in giro. – Se non fossi una
donna, – diceva, – farei... – Che faresti? – diceva Carletto,
– se stai meglio di tante.

Mi tornavano in mente le volte che Amelio sentiva nella
tampa parlar di politica. C'era sempre qualcuno che alzava
la voce e diceva che il duce non s'era sbagliato, che gli italiani stanno meglio di una volta, che a chiacchierare sono
buoni tutti quanti. – Dunque stai zitto, – disse Amelio una
sera. E guardava in quel modo che levava la voglia.

Ma del Fascio Dorina con me non parlava. Quando uscivamo noi due soli per andare da Carletto, lei mi chiedeva
di Torino e dei negozi di mode, mi raccontava che in teatro
c'era entrata per capriccio e che a Genova aveva venduto
ogni cosa, le pellicce, i gioielli, la voce. Rideva. – Non so
perché, voi torinesi mi piacete, – disse allegra. – Siete dei
matti, dei maligni, dei fissati. Se non avessi una famiglia,
quasi quasi... – Io la tenevo a braccetto e pensavo a Torino.
«Sono a Roma, – dicevo tra me, – sono a Roma».

– E a Torino ci pensi? – diceva lei a volte. Poi diventava
malinconica e parlava dei suoi anni. – Ho già una figlia che
fa l'occhio ai giovanotti, non sai?

Arrivava Carletto e diceva: – Vi ho presi –. Nella nostra
trattoria Dorina era benvista da tutti. Credevo sulle prime
che fosse perché aveva cantato in teatro – a volte le chiedevano di cantare anche lí. Ma una sera succede che sento due
tipi dirsi: «Guarda che donna», e capii che per loro Dorina era bella. Quanto avrei dato per parlarne con Carletto.
«Quest'è Roma, – dicevo tra me sbalordito. – Queste sono
le donne che piacciono a Roma». Feci caso per strada e mi
accorsi che molti le guardavano dietro. «Meno male, – dissi, – cosí si consola».

Cosí andavamo all'osteria, ed era vera la parola di Carletto che tutta Roma è un'osteria e ci si vive. Ci venivano
intere famiglie, si portavano il pollo, l'insalata, la frutta, comandavano il vino e mangiavano. Mi tornò in mente il Mascherino, dove passavano gli artisti. Ma là era un buco da
vecchietti, e c'era scuro e serviva soltanto a puttane e teatro. Qui si mangiava e si suonava, si rideva e beveva, era il
centro del rione. Mi ricordavo quella notte dei romani al

Mascherino, e l'indomani e il giorno dopo e tante cose. Poi col caldo, alla fine d'aprile, le porte s'apersero e si sentiva odor di fresco ai tavolini, e le viuzze eran piene di stelle. Non andò molto che portammo la chitarra – altre ce n'erano – e Carletto diceva i suoi scherzi e tutti quanti cominciarono a chiamarmi per nome.

XIII.

Guadagnare qualcosa non era poi difficile, e si vede che Roma era piena di Pabli. Tutti mi dicevano che dovevo suonare, che dovevo aggiustarmi con qualche padrone e divertire i suoi clienti ai tavolini. Ma stavolta non c'era da far lavorare Carletto, e andando in giro davo l'occhio alle vetrine dei meccanici, entravo in tutte le rimesse e m'informavo. Anche a Roma un lavoro di questi l'avrei fatto. Ma chi voleva la patente, chi mi chiedeva il benservito, chi non credeva che venissi da Torino. – Sono arrivato sopra un camion, – gli dicevo. – So portarlo –. Ero stato uno scemo a non prendere nome e recapito di quel camion che ci aveva aiutati. A due passi da casa, su uno stradone che si chiama la via Cassia, c'era un ciclista che aggiustava anche selle e finimenti. Lí nemmeno sembrava che fossimo a Roma e il ragazzotto che teneva la baracca mi disse: – Bisogna parlare alla Bionda –. Io credevo che fosse una bionda, e invece vedo una faccia da zingara, con le sottane che sembravano calzoni e la blusa a quadretti. Mi guardò la cravatta e le scarpe – la cravatta era buona, le scarpe bucate – e mi disse: – Conosci qualcuno? – Non ancora, – le dissi. Mi prese.

Con quel va e vieni di stradini e manovali che facevano un ponte a due passi dal nostro, c'erano sempre biciclette da aggiustare. Pippo il ragazzo era piuttosto per salirci e far le corse. Questa Bionda era una vedova – il Biondo era morto – e non sapeva come fare a non rimetterci i clienti. Ci trattava con gli sguardi cattivi e con poche parole; si capiva che aveva paura di dar confidenza; era di quelle che i mariti li fan fuori e poi li piangono di notte. Pippo diceva che di notte era sonnambula – ce l'aveva la faccia scarnita e gli occhietti, una faccia da vedova. Stava sempre nel retro e sorvegliava noialtri da un buco del muro. La sera i conti li faceva a un tavolino in quella stanza, e mi pagava a percentuale. Là dietro dormiva, in un angolo scuro, c'era odore di petrolio e di chiuso. La mattina arrivavo, mi aspettava sull'uscio; non diceva «Salute» e spariva. Avrà avuto trent'anni.

Prima cosa pulii la baracca e le chiesi un salario per Pippo, che viveva di mance. Lui lo misi sul secchio alle camere d'aria e lo mandavo in commissioni e ogni tanto gli davo la libera uscita. Lo abituai che teneva l'orario. Poi dissi alla Bionda che tanto valeva far fuori le selle – nessuno di noi le sapeva aggiustare. Capitava alle volte dalla campagna un carretto di vino, di quei carretti ricamati come fosse carnevale, col parasole a fisarmonica e una frasca sul cavallo. C'era una cinghia da cucire – quattro soldi. Ne parlai con la Bionda, ma lei non volle saperne – era stato il mestiere che facevano i suoi. Non dissi niente e rispondevo ai conducenti ch'eravamo occupati. Lei la capí e mi lasciò fare.

Chi non capiva che facessi il lavorante, era invece la vecchia Marina. – Lo sai che vivi fuori porta? – mi diceva. – Che uomo sei? Che sei venuto a fare a Roma? Chi ti conosce a questo mondo?

Poi si sfogava con Dorina e le diceva che nessuno fa strada lavorando a giornata. – Il tuo Carletto non lo aiuta, – le diceva. – Lo lasciate morire come un povero figlio. Questo ragazzo ha l'oro in mano e non lo sa.

Ma Dorina le disse che qualcosa mi era successo a Torino. La vecchia allora stette zitta qualche giorno e Dorina rideva e ammiccava vedendomi. S'intrattenevano fra loro in gran segreto e qualcosa ne seppe Carletto che ghignava anche lui. Alla fine una sera la vecchia mi prese da parte, mi portò alla finestra e mi chiese se la Pasqua l'avevo già fatta. Non capivo lí per lí e lei svelta mi mise un'immagine in mano. – Tienila in tasca, – mi diceva, – ti fa bene.

– Non ci credo, – le dissi.

– Non si può dire, è benedetta, ti fa bene.

– Ma non sono ammalato, – le dissi.

– Siamo tutti ammalati, va'. Non sei battezzato?

Il giorno dopo era felice, e alle ghignate di Carletto – Sono ragazzi, – ripeteva, – son giovanotti che la donna li tormenta.

Li lasciai dire e continuavo quel lavoro. Adesso uscirmene la sera coi miei soldi era un piacere. Veniva notte – notte calda – e le piante fiorite facevano estate. Passando il ponte per andare in trattoria, vedevo a destra le colline con

quei pini, e non capivo perché fossero bruciate e spelac-
chiate.

– È la città che se le mangia, – diceva Carletto.

– Che storie.

– Con tante piante che c'è a Roma, non è il terreno che
fallisca. È che Roma ha spianato le campagne e le colline, e
sta in mezzo a un deserto.

Quando gli chiesi se dai colli o da San Pietro non si vedeva un po' di mare, lui mi disse che dovevo andarci: avrei
fatto piú presto. Senza dir nulla alla famiglia, un bel mattino presi il tram. Scesi a Ostia e arrivai sulla spiaggia. Mi
ricordavo di quel sogno con Lilí, che correvamo in riva al
mare. Da molto tempo non sognavo piú donne. Camminai
sulla sabbia bagnata. Sembrava un prato e mi sedetti sulla sabbia e guardavo le schiume. Poi camminai verso dei
pini neri neri in lontananza e camminando davo calci alle
immondizie e pensavo alla sciarpa trovata da Amelio.

Tornai la sera e avevo ancora quel sapore sulla bocca.
Adesso capivo perché a Roma la gente riempiva le strade e
ridevano e andavano, e non solo i ricconi ma anche in barriera. Bastava guardare quel cielo sui tetti, per convincersi
che il mare non era lontano. Dalle finestre, dalle porte, dalle terrazze, anche i poveri diavoli sentivano il mare. Manovali, ragazze, bambini, operai; gente povera, sfaticati che
uscivano in strada e parlavan forte e ridevano. Un mattino
incontrai dei fascisti. Ridevano anche loro. C'era stata adu-
nata e tornavano a casa cantando.

– Hanno trovato la vigna, – mi disse Carletto. – Hai
mai visto scontento chi mangia e beve?

– Sembran gente anche loro.

– Non è mica Torino. Qui a Roma si viene per mettere
il lardo. Qui si godono i frutti. Prova a togliergli il piatto e
poi vedi.

– Ma quanti sono che rosicchiano? – gli dissi. – L'Italia
è piena di scannati che non mangiano, e se chiedi son tutti
fascisti.

Allora facemmo i discorsi di Amelio. I discorsi che Amelio cominciava soltanto, poi scuoteva la testa e diceva:
«Sciocchezze», quando partiva sulla moto e lo aspettavano
a Novara. A quel tempo capivo che non si fidava di me perché mai ch'io leggessi un giornale o dicessi qualcosa. Ci
pensavo qui a Roma. Adesso sí che avrei voluto averlo accanto.

E Carletto parlò come lui. Disse che parte della colpa era anche mia. Ero dei tanti che restavano a guardare. Com'era che avevano fatto i fascisti? Menato le mani. Presa Roma e menate le mani. Anche noi bisognava fare un blocco e resistere.

– Cosa pensi? – gli dissi. – Vuoi prendere Roma?

Quella sera girammo per i ponti finché ci fu luce. Ci appoggiavamo alle spallette e parlavamo. Mi raccontò che tutti i vecchi erano vivi, tutta gente di prima, disposta a rischiare. Ce n'erano all'estero, ce n'era in prigione. Tutti tenevano e restavano a contatto. – I fascisti non sono tranquilli, – mi disse, – le prigioni sono piene. C'è della gente che sta in casa e ha il questurino sulla porta. Sai che cosa vuol dire? – A noi toccava, come nuovi, lavorare nella massa. Ascoltarli discorrere e dargli una mano. C'erano i mezzi, c'era la stampa da passare. Far propaganda nella massa.

– Combinare uno sciopero, – disse.

Quando Carletto se ne andò per fare il numero, io pensavo ridendo «E Dorina? se il marito esce fuori, che cosa succederà?» ma la raggiunsi in trattoria e ripensavo a tutto quanto e mi dava coraggio che per quelli in prigione ci fossero ancora speranze. Era una notte bella e chiara, e tutti andavano e venivano, dappertutto reclam luminose, automobili e carrozze; le osterie lavoravano, la radio cantava – e quei poveri storti ch'eran dentro. Sarebbe stata una gran cosa dare un giro alla baracca. Non piú vedere quella faccia sopra i muri. Spaccar tutto.

Mi calmai presto, e mi dispiacque non averci la chitarra. Quella sera comparvero Luciano e Fabrizio, quei due amiconi di Carletto, e si parlò del Mascherino, e Dorina voleva far festa insieme a loro. Arrivò piú tardi un chitarrista col fiore all'occhiello e suonava da cane. Tutti dicevano di smetterla e passarmi la chitarra. Ma lui s'accorse ch'ero nato un po' piú in su e mi disse: – Porco –. Poi mi tirò una sedia in testa. Poi mi disse: – Bastardo –. Quando arrivarono gli agenti era per terra che ruttava. Siccome le aveva buscate da me, dovetti dare il nome e il resto, e mi dispiacque. Fino allora, chi sapeva qualcosa di me?

Dorina s'era spaventata mica poco, e ci toccò portarla a casa in carrozzella. Poi restammo a passeggio noi quattro e si cianciava andando su per la collina.

– Queste figure non succedono a Torino, – diceva Luciano.

– Come no? All'osteria c'è di tutto.

– Pablo è in gamba, – disse Carletto fermandosi. – Pablo sa dire, all'occasione, una parola. Bisogna convincerlo a venire con noi.

A me pareva tanto tempo che non vedevo piú Torino. Ascoltando quei due pensavo alla notte che avevamo passato bevendo e suonando, e nevicava, e la mattina ero uscito per andarmene via solo. Anche stavolta era notte, una notte di Roma.

Dissi: – E Giulianella? canta sempre?

Quelli parlavano di me e non mi risposero. Faceva ridere pensare che Carletto comandasse della gente. Lui decideva. – Domani ci sono le copie. Tu Fabrizio le porti a Trastevere. Tu Pablo vieni con me a fare il giro?

Il giro era andare a portare le stampe in un dato quartiere. – Tu Pablo che vivi a contatto con tanti. I muratori e i manovali che lavorano sul ponte sono quel che ci occorre. Uno sciopero edile, vuoi mettere?

– Ne sanno loro piú di me, – dissi. – Vengon dentro il negozio e mi fan loro propaganda. Sanno al centesimo quel che gli appalti hanno rubato.

– Questi dati vanno raccolti, – disse Luciano. – Dobbiamo farli sapere ai nostri amici.

Accettai l'indomani di andare nel giro. Uscimmo svelti a mezzodí perché la Bionda era in bottega. – Dove sono le stampe? – Carletto ghignando mi disse: – Ci sono –. Camminavamo discorrendo di sciocchezze. Poi saltammo sopra il tram che passava. Scendemmo dopo San Pietro. – Non avessi questa gobba, – diceva Carletto, – mi conoscono tutti –. Mentre andavamo, do un urtone a un militare. Quello si gira e attacca lite. Stavo già per rispondere ma Carletto mi ferma. – Tira via. Un'altra volta –. Ci ficcammo in quei vicoli allo sbocco del ponte. Sono buchi che sembran tante stalle. – Come a Genova, – dissi a Carletto. Lui non parlava e si cacciò dentro un portone. – Aspetta qui.

Era scuro e fetente là sotto, e Carletto scomparve. Dopo un minuto me lo vedo comparire dalla strada. Veniva adagio e sogghignava; ce ne andammo.

– E allora, – dico, – le posiamo queste stampe?

– Già fatto, – mi fa sottovoce, – torniamo nel centro.

«Tutto qui?» mi chiedevo guardandomi intorno. – E perché non me l'hai data una stampa da leggere? Voglio sapere cosa scrivono quei tali.

– Sarebbe stata un'imprudenza, – disse lui. – Non è mica una cosa che leggi sul tram.

Io non capivo dove stesse il gran pericolo. Carletto allora mi spiegò quel che dicevano le stampe.

Tornando a casa ci pensavo, e cercavo di mettermi al posto di chi riceveva quei fogli. Che cosa avrei detto leggendo che tutti rubavano, che bisognava tener duro e non tradire gli italiani, che tutto il mondo ce l'aveva coi fascisti. C'era chi le scriveva e rischiava la pelle. I miei stradini le dicevano in bottega. Non capivo il bisogno di scriverle e farsi prendere. Non capivo che gusto Carletto ci provasse. Quando arrestavano qualcuno con quei fogli, eran felici. Lo diceva anche lui. Glieli leggevano sul muso, e poi botte. Valeva la pena? Se vuoi farla a qualcuno, non devi dirglielo prima.

Ritornando in bottega mi faceva un certo effetto. Tutto sommato ero contento di sapere com'era. Mai piú la Bionda si pensava ch'ero stato a fare il giro. E la vecchia Marina? Avrei pagato non so quanto per parlarne con Amelio. Me lo vedevo nel letto, in mezzo a tutti i suoi giornali. Ma doveva esser stato piú furbo, lui. Per esempio, con me non aveva fiatato. Quanto avrei dato per parlargliene stavolta.

Venne invece in negozio Solino ch'era stato un amico del Biondo, e lavorava a quel catrame e passava dall'oste le mezze giornate.

– Noi ci pagano, – disse. – Perché lavorare?

– Chi vi paga?

– L'impresario ha interesse che duri. Prende un tanto, lui, sulle nostre giornate.

Dal finestrino la mia vedova guardava. Avevo acceso mezza cicca e me ne stavo sulla porta. Passò un camion col grosso rimorchio e la targa d'Ancona.

– Anche quello è un vivere, – diceva Solino. – Se ne fanno dei soldi.

– Ci ho lavorato sopra i camion, – dissi allora. – Mi piacerebbe andare un po' per queste strade.

Venne la Bionda in bottega con quel passo svogliato. – Fammi accendere, – disse. Fumava sovente anche lei sull'uscio e teneva la cicca come fanno i ragazzi. Era in tuta, la tuta del Biondo.

– Vuoi andare sui camion? – disse.

Quel Solino sputò in strada, e si mosse. – State attenta, – le fece, – se lui vi pianta, allora sí che siete vedova.

XIV.

Adesso mangiavo dall'oste là in faccia, e vedevo il negozio. Mangiavo al fresco, sotto gli alberi, e sul mezzodí sentivo i muratori. Arrivavano sporchi di calce e comandavano un litro.

Mai che la Bionda mi dicesse di mangiare con lei nella stanza. Si capiva che a starsene sola ci pativa; alle volte veniva sull'uscio e fumava. Con quella blusa a quadretti sembrava un ragazzo. Scura com'era, non pigliava mai sole. C'erano giorni che provavo a figurarmi cose vecchie: che quella non fosse la Bionda e che stessimo insieme. Ero rimasto come quando si guarisce dalla febbre – bastava un niente a toccarmi nel sangue. Ma la sera ero contento di andarmene.

Con Dorina e Carletto mangiavo cena, e la chitarra la tenevo addirittura in trattoria. Veniva sempre l'occasione di suonare gli stornelli e Carletto sapeva cantarli come un romano. Ci capitavano ragazze – le Lilí che stanno a Roma – tutte in coppietta col loro vigliacco. Io giravo là tra loro felice e scontento, ma sapevo che cos'era e bevevo su tutto. Rispuntò Giulianella, la sorella di Luciano, e facemmo una notte cantando per le strade. Combinammo in tre o quattro di andare a fare il bagno sul Lido. Poi nessuno aveva belle mutandine, e andammo invece nei Castelli a far merenda. Anche quelle, che terre. Mai che si veda una vigna e non hanno che vino. Salimmo a Rocca di Papa, e si rideva e si mangiava.

Una volta scrissi a casa per dire che m'ero aggiustato. Quando arrivò la loro lettera col bollo di Torino, la tenni in tasca e la rilessi molte volte. «Tua sorella Carlotta» c'era scritto. Non mi facevano piú il muso e mi dicevano «Sta' bene». Sembrava strano che venisse di lassú.

Anche Giulianella mi scherzava volentieri. Mi chiedeva se a Roma c'ero proprio venuto per sposarmi la vedova. Ficcava il naso nei discorsi che facevo con quegli altri e diceva: «Se Pablo rimedia il negozio, vi dà il giro e diventa fascista anche lui». – Cosa c'entra il negozio? – dissi.

– Ma allora dove hai la ragazza?

– Vieni a trovarmi e te lo dico.

C'era Dorina che a sentirci chiacchierare di politica, le pigliava il nervoso. – Voi non sapete che cos'è vederseli in casa, – ci diceva. – Buttano in aria, tiran l'acqua al gabinetto. Non sapete cosa sia avere un uomo in prigione. Preferirei vederlo morto. Non c'è piú pace per nessuno. È una morte che dura dei mesi, degli anni.

– Tutto serve, – disse Carletto. – Anche queste ingiustizie.

– Ma non chi è dentro.

– Basta che sappia perché c'è.

Capitò che si seppe di gente arrestata perché la sera andavano insieme al caffè. Luciano, che diede la voce, ne conosceva qualcuno. Erano avvocati, studenti, signori. – Ecco, – disse Carletto, – questa è gente che lo sa perché è andata dentro. Vuoi che un dottore, un avvocato, ci si metta a cuor leggero? Sono gente che ha molto da perdere e che studia sui libri.

– Lo sapranno, – gli dissi, – ma facevano che cosa?

– Lavoravano contro, anche loro.

– Per raccontarsi quattro storie in un caffè non val la pena. Vorrei sentirne uno dei buoni se è contento.

– Anche loro facevano il giro, – disse Luciano.

Ma a che cosa serviva quel giro, gli chiesi. Mettere per scritto quel che tutti sapevano, era troppo da scemi. Rischiare non valeva la pena. Che cos'è che volevano gli studenti e i signori? Mettersi al posto dei fascisti. Lo facessero. Tanto noi, l'operaio, il facchino, loro Luciano e Giulianella, le famiglie che stavano in dieci in un buco, non contavano niente. C'era sempre degli altri sul camion. Era come buttarcisi sotto. – La Marina, – gli dissi, – ch'è una vecchia carogna, si ricorda di come si stava una volta. Comandavano loro, una volta.

Qui Luciano mi diede ragione ma disse che si fa tutto per cambiare. – E va bene, – gli feci, – ma dimmi che cosa. Fin adesso nessuno me l'ha detto.

A un certo punto fu Carletto che gridò: – Io ti conosco. Tu vuoi fare le cose da te, come viene. Hai paura che un altro ti freghi. È un destino cosí. Ma le cose succedono se anche non vuoi.

– Brutta bestia, – gli dissi, – succedono a molti.

La volta dopo, glielo dissi chiaro e tondo anche a Carletto. – Per fidarsi di quelli che studiano, bisogna studiare. Tu hai mai capito quando parlano, se sono dalla tua?

Dissi cosí tanto per dire e farlo smettere. Ma a questa di studiare ci pensavo da un pezzo. Per capire le cose bisogna studiare, non le sciocchezze che insegnavano a scuola a noialtri, ma com'è che si legge il giornale, com'è fatto un mestiere, chi comanda nel mondo. Si dovrebbe studiare per saper fare a meno di quelli che studiano. Per non farsi fregare da loro. Già allora capivo che la strada è questa. Per studiare cosí c'era certo un sistema. C'era qualcuno che sapeva tutto questo. Ma trovarlo, e fargli capire che avevo capito.

Tutte le sere si parlava e si tornava alle ore piccole. Per non dar nell'occhio andavamo sui viali, cambiavamo di osteria, uscivamo in campagna. Dorina e qualche altra veniva con noi. La chitarra serviva a scusarci, ma c'era delle notti che avrei suonato come un matto anche da solo. Sotto le piante, in quel fresco di luna, non potevo tenermi. L'aria di Roma è proprio fatta per star svegli. Allora sí che avrei voluto essere in gamba, saper cantare come i negri, aver studiato. Sono il piú giovane, dicevo, ho ancora tempo. Qualche volta pensavo alle cose che mi eran toccate in un anno, a com'ero cambiato, alla fortuna di quel viaggio. Tutto va bene se va bene, dicevo.

Ero andato una volta a prender dei pezzi in un'officina sull'Aurelia, e da allora nel pomeriggio uscivo sempre in bicicletta un'ora o due. Lasciavo il negozio al ragazzo e alla Bionda. Lei una volta mi chiese se andavo lontano. – Giro un po', – le dissi.

– Dove passi la sera?

– Dove vuole che vada?

– Non balli, non giochi alle carte, non vai in Trastevere.

– Lo facevo a Torino.

– Anche a Torino c'è Trastevere?

– Qualcosa di qua dalla Dora. Si chiama il Fortino.

– Cosa facevi?

Discorreva e guardava per terra. Non era mica una scema. Si bilanciava sopra i piedi e mi guardava.

– Non facevo il ciclista.

Mettendosi dietro le mani, come fosse ragazza, mi guardò senza ridere. La guardai senza ridere e già sapevo tutto quanto.

– Questi posti sono sempre sull'acqua, – le dissi. – Perché?

– Già, perché, – disse lei.

Finí cosí perché non volli andare avanti. Lei mi disse che andava al cinema quel giorno. Io pensai «Con la blusa a quadretti?» Nel pensarlo le diedi un'occhiata. Lei mi capí e la vidi ridere con gli occhi. Accidenti, era ben sveglia. E sembrava un ragazzo. Fino a notte rividi la testa riccia e quella bocca e il camminare nella tuta. Fu quella volta che scappai senza aspettare che chiudessimo.

Ci pensai sopra molti giorni, e c'era un fatto che contava. Lei stava sempre in quella stanza e non vedeva nessuno. Le sere nel centro non me le avrebbe guastate. Ci pensavo e ridevo. Da quanto tempo non sapevo piú cos'era. Alle volte mentre parlavo e scherzavo con gli altri, mi sentivo un'ondata di sangue e sapevo che lei mi aspettava. Diventava piú bello fare tardi con gli altri.

Cosí passavano le sere e non facevo un passo avanti. Tanto, scappare non scappava. Era bello lasciare che venisse da sé. Questa volta sapevo quel che cercavo e non c'era bisogno di muovere un dito. La mattina dicevo scherzando alla Marina, se non ero un figliolo coi fiocchi, dormir sempre solo. Lei mi guardava per traverso, e borbottava. Le dissi allora ch'era colpa dell'immagine, perché da quando la portavo nella tasca dei calzoni mi piacevano troppo le donne. Lei mi guardò con gli occhi stretti, poi disse: – Ridi ridi. Vedrai che qualcosa succede.

Una sera la Bionda mi disse: – Mi accompagni domani alla partita?

Avrei pensato tante cose ma non quella. Ci andavan tutti alla partita, anche Luciano. Le spiegai ch'ero già in comitiva.

– Io ci vengo, – mi disse. – Tu prendimi un biglietto.

Cosí ci venne e si sedette in mezzo a noi. S'era vestita mica male e non mi fece sfigurare. Se ne stava fra me e Carletto con l'aria agitata e guardava come avesse scommesso, e faceva dei gridi sul pugno. Non volle la birra. C'era Giulianella che cercò d'intrattenerla e la invitò a sentir Carletto al Varietà. Lei rispondeva piano piano, ma nei casi del gioco dava mano al mio braccio e stringeva. Finí che anch'io mi strinsi a lei senza parlare.

Andammo tutti a bere insieme, a un'osteria, ma lei non finí il suo bicchiere. Si chiamavano insieme per nome e ridevano. Non avevamo la chitarra, ma Carletto cantò ugualmente la rivista. Le chiedemmo perché non restava la sera con noi. Si poteva andar fuori a cenare. Anch'io le dissi di venire.

Cosí passammo a ritirare la chitarra in trattoria; poi si andò a cena fuori porta. C'era un bel posto su una strada antica che ci si va per un'arcata come un grande portone. Lo sapeva Giulianella. Camminammo tra muri e campagna, si vedevano degli alberi neri e dei pezzi di pietra. Non ho mai visto una campagna cosí vuota. Veniva voglia d'esser rondine e volarla.

Ci sedemmo all'aperto, a quei tavoli piantati per terra, sotto una griglia e delle canne. Eravamo a due passi da Roma e Roma non c'era piú. Veniva sera e non ci accesero la luce.

Qui mangiammo, suonammo e ridemmo bevendoci sopra. Lei non parlava e ci ascoltava fare i matti. Le piaceva sentir la chitarra. Mi montarono poco alla volta e bevevo, ma per suonare li volevo zitti tutti, perché le note quella sera mi piacevano pulite.

Quando fu l'ora di tornare a teatro, la Bionda non volle saperne. Disse che s'era divertita e che voleva andare a casa. Discutemmo sul tram ma lei non volle saperne. Tutti dicevano: – Tu Pablo accompagnala –. Io che avevo bevuto e pensavo ancora a quei prati, l'avrei lasciata tornar sola, ma non vollero. – Poi ritorni a teatro, – mi disse Dorina.

E cosí ce ne andammo a casa, chitarra a tracolla. Fin che fummo in tram passò liscia. Ma quando l'ebbi a fianco sola, camminando, mi toccò dir qualcosa.

– Non lo sapevo che si chiama Gina, – le dissi.

Mi guardò di sfuggita. – Come tu che sei Paolo.

Arrivammo zitti al negozio. Lei l'aprí, poi mi disse: – Lo prendi il caffè?

Mentre stava nel retro a scaldarlo, io posai la chitarra e aspettavo. Dal finestrino illuminato la sentivo fischiare.

– Sono poche le donne che fischiano, – dissi.

Cessò quel fischio, poi sentii: – Non è mica proibito.

– Una donna che porta la tuta, – le dissi, – non fa male a fischiare.

Non rispondeva e non capii perché.

– Le sta bene la tuta, – le dissi. – Se penso a lei, la vedo in tuta giorno e notte.

Non rispose, e nemmeno si sentiva rumore. Allora stetti sulla porta e non sapevo cosa fare. A quell'ora non passava nessuno e il negozio era buio. Poi la luce s'accese. Mi voltai. L'avevo lí davanti in tuta, che rideva.

Tutta la notte stemmo insieme, su quel letto. Era di quelle che gli piace divertirsi. Ogni tanto dicevo: – Mi vesto. – Non andartene, – lei diceva, – chi sa se dormi un'altra notte qui con me –. La chiamavo Ginetta. Lei rideva e piangeva; non stava mai ferma. Quando si stese e non disse piú niente, anch'io restai con gli occhi svegli dentro il buio.

«Come sono le donne, – pensavo, – l'ha già capita che di lei non m'importa». Mi tornava una rabbia lontana, come se lei fosse qualcuna che non era, come se stare lí con lei non mi piacesse. Mi aveva detto tante cose di quei giorni – tante parole, tanti scatti, tante occhiate che le avevano fatto capire che avevo bisogno di lei. «Non è vero, – pensavo, – è una donna. Non vuol dire che è lei che mi cerca». Avrei voluto andare a casa e star solo. Dovevo averla giorno e notte nei piedi?

Venne mattino e mi svegliai che lei era già alzata. Mi faceva il caffè. – Non hai fame? – S'era vestita con la blusa di sempre, e venne al letto e mi guardava.

– Padrona, – le dissi, – qualcosa non va?

Lei mi buttò le braccia al collo e stette lí come una scema. La baciai come prima e le dissi: – Cos'hai?

– Non dài nessuna confidenza, – lei mi disse. – Non mi pensi.

Quel mattino capii come vanno le cose. Se vuoi bene a qualcuno, quell'altro ci ride. Mi veniva di ridere, senza averne voglia. Non glielo dissi, ma le dissi che doveva stare attenta. – Non ci siamo sposati, – le dissi, – lo sai? facciamo conto che sia sempre il giorno prima.

Andai fuori a fumare una cicca davanti al fiume. Però era bella la scarpata coi terrazzi e le ville. Era bella anche l'acqua sotto le arcate, nel sole. Dal cantiere del ponte veniva un rumore di colpi di mazza. Mi tornò in mente la montagna quell'inverno in fondo al corso.

Tornai dentro e passò la mattina. Lei faceva insieme a Pippo un controllo di gomme. Pensavo già di portarla a mangiare un boccone, quando Pippo dal retro mi chiama.

C'era qualcuno all'usciolo dell'orto che voleva parlarmi.
– Venga avanti, – gli dico. Era Carletto, che stavolta non
rideva.

– Ah ci sei, – disse correndomi addosso. – Stamattina
hanno preso Luciano.

– Proprio stanotte dormi fuori, – mi diceva, – quand'ho chiesto e non c'eri, sono morto sul colpo. Ma dov'eri stanotte?

Io pensavo a tutt'altro, e anche lui ci pensava, ma era cosí agitato che parlava di me. Com'era andata non lo seppi che piú tardi. Anche troppo lo seppi. Da quel mattino anche Carletto non fu piú la stessa cosa. Quasi quasi mise paura anche a noi.

Giulianella era venuta quel mattino a casa loro. Era andato Carletto alla porta, e Giulianella l'aveva abbracciato piangendo. Eran venuti in quattro o cinque che Luciano dormiva, messo in aria la casa, poi l'avevano fatto vestire e arrestato. Giulianella era ancora da noi per sapere; credeva che fossimo arrestati tutti.

– Lascia perdere, – dico a Carletto.

– Pensa un po' quando suono da te, e la Marina mi dice che non eri tornato. «L'han preso per strada» mi grida Dorina. «Pigliano tutti. Anche te». Sono corso a cercarti.

– Chi sa Luciano cos'ha fatto, – dissi allegro.

Ma a Carletto tremavano le mani. Non era finita. Giulianella diceva che gli avevano trovato dei fogli, e se adesso Luciano parlava era fatta.

– È un disgraziato, – diceva Carletto, – vedrai che lo picchiano e lo fanno parlare.

Ci pensai sopra e stetti zitto. Avrei voluto dirgli «Hai visto?» ma mi fece pietà e dissi: – Ancora sei fuori –. La prigione è una cosa che a parlarne non sembra niente.

Chiesi a Carletto se dei fogli lui ne aveva e disse: – No –. Poi camminava nella stanza e si fermò e gridò: – Miseria.

– Cosa c'è?

– Ci sono i libri del marito di Dorina.

Qui mi disse che in casa non voleva rientrare. – Non arrestano soltanto di notte. Può anche darsi che aspettino per pigliarmi sul giro. O magari a teatro. O voglion fare una retata con le donne.

Lo lasciai dire quel che volle e ci pensavo. Se Carletto scappava, la capivano tutti. Si metteva nel rischio per niente. Bisognava sapere che cos'era successo; perché avevan preso Luciano e non lui. Poteva darsi che Luciano avesse avuto altre amicizie. Per esempio quegli studenti e avvocati del caffè.

Dissi la mia idea a Carletto che girava per la stanza. Lí per lí non rispose. Era smorto e agitato. Poi si fermò e disse: – Capisci di quei fogli? Se l'hanno preso è perché qualcuno ha parlato. E anche lui parlerà, se non sa che son fuori.

Mi venne in mente quando andavo per Torino a ubriacarmi e piú bevevo piú pensavo a tante cose e avevo il sangue come l'acqua in una stufa. Come lui, allora non potevo star fermo e parlavo da solo. Avevo sempre, giorno e notte, avanti agli occhi quella cosa.

– Io di qui non mi muovo, – mi disse Carletto. – Non sa nessuno che son qui.

– Se faccio in tempo, vado a casa per quei libri, – dissi allora. – Chi sa Dorina cosa pensa.

Gli dissi di stare nell'orto e partii. Sulla piazza tutto era tranquillo. Salii le scale, devo dire, piano piano e stavo già per entrar prima dalla vecchia, quando l'altr'uscio si spalanca e sento «Pablo». C'eran tutte, Dorina, Giulianella, la mia vecchia e la nonna. Giulianella mi aspettavo di vederla piú a terra. Era soltanto un po' nervosa. Chi dava noia era la nonna, sempre dietro. Dissi subito a Dorina di farmi il pacchetto dei libri. Poi spiegai che Carletto s'era presa paura e non c'era piú niente da fare.

– Deve andar via, deve andarsene, – dicevano le donne.

– E Fabrizio, l'han preso Fabrizio?

– Macché.

Per far qualcosa combinammo che sarebbero partiti. Bastava andassero fuori Roma in una casa di parenti. Andò nel negozio Dorina per parlargli e combinare. Io mi presi Giulianella col pacco dei libri e dicevo: «Li butto nel Tevere».

Entrammo invece in un caffè perché Giulianella era stanca di girare. Di quei fogli mi disse che non era sicura. Avevan preso delle lettere, perfino dei pezzi di musica, e delle cose scritte a macchina ma forse era soltanto un copione.

Mentre parlava le vedevo gli occhi rossi. Non se la prese col fratello, non se la prese con nessuno. Disse soltanto ch'era certa che l'avrebbero picchiato. – Quando mettono dentro un signore, – mi disse, – lo trattano bene. Noialtri invece siamo come i comunisti.

– Magari lo siamo, – le dissi.

Lei rise appena, e mi chiese se venivo al teatro. Bisognava spiegare al padrone che mancavano in tre.

– Ho questi libri. Vado a casa. Ci vediamo.

Pensai per strada se era vero che picchiavano soltanto chi lavora. Sta' a vedere che temono piú noi che i signori. Cominciavo a capirci qualcosa nel gioco.

Carletto e Dorina, seduti sul letto, discutevano ancora. Gina aspettava sulla porta e aveva avuto tanta testa da mandar Pippo in commissioni.

– Ne son successe delle cose, – le dissi all'orecchio passando.

Lei non rispose e piegò il capo, tutta rossa, alla mia faccia.

Perché Carletto la capisse che doveva andarsene, fu necessario che vedesse che non c'erano altri letti. Io gli dissi che, tutto sommato, quei fogli non c'erano, che doveva star calmo, che Luciano era in gamba. A combinare con Fabrizio andò Dorina, e Carletto mangiò due bocconi là dietro. Dissi a Gina di chiudere e la presi con me. Andammo insieme all'osteria di fronte.

Verso sera arrivarono Dorina e Fabrizio, e avevan visto molta gente e dappertutto era tranquillo. Tutte le volte che toccavano la porta, al finestrino era Carletto che correva. Gli spiegammo che andare in campagna era inutile: se la questura lo cercava, lo pigliava anche là. Io capii che Carletto l'aveva capita ma non voleva dare indietro per puntiglio. Partí alla fine con Dorina e col fagotto, e Fabrizio tornò al suo teatro.

Cosí passarono dei giorni e non si vide piú nessuno. Tutte le sere, quando Pippo se ne andava, gli occhi di Gina mi aspettavano. Prima parlava brusca e asciutta; in quel momento mi guardava disperata. Se le andavo vicino e dicevo qualcosa, mi pigliava le mani. Mi fermai qualche volta la notte.

Era giugno, e pensare a chi stava in prigione faceva una pena. Perché loro e non noi? Non so perché, m'ero convinto che li picchiassero di notte. Potevo andarmene per tutte quelle strade, far la notte con Gina, rientrare al mattino – non riuscivo a levarmi di mente quegli altri in prigione. Quanto piú c'era fresco e gente allegra per le strade – lungo il Tevere, sotto i giardini, davanti ai caffè – tanto piú ci soffrivo. Quando giravo in bicicletta al pomeriggio andavo fuori, cercavo i rioni piú lontani e tranquilli; non potevo resistere sui crocicchi del centro dov'era caldo e un putiferio di automobili e di gente, e l'asfalto era lustro e puzzava. Piazza Venezia era vicina, e ci sentivo quel puzzare e quella voce. Si sentiva guardando i palazzi e i giornali. Ce l'avevano indosso i passanti. Voltai l'angolo e quei vicoli del centro erano cessi. Da quanto tempo ci pisciavano i romani? Ero passato alla Lungara per vedere le prigioni. Anche là quell'odore che cuoceva nel sole.

Cercai Giulianella in trattoria ma non c'era. Dove abitasse non sapevo, e nemmeno volevo saperlo. Trovai Fabrizio che mi disse ch'era meglio aspettare. Giulianella andava alle prigioni a portar roba, e la seguivano di certo. Era meglio non farsi vedere.

Tutto questo toglieva voglia di ridere. Non restava piú nessuno se non Gina e la Marina. Smisi di uscire in bicicletta e mi fermavo al negozio. Tutto sommato la vecchia Marina non seccava. Lei accudiva le due figlie di Dorina con la nonna. Anche Gina l'aveva capita ch'ero fatto a mio modo, e lasciava che andassi e venissi e pensava lei al negozio. Non cambiò nulla nei miei conti a percentuale. S'era provata il giorno dopo – mi voleva mantenere. Ma lo fece con tanta soggezione che risi una volta. – Cara donna, – le dissi, – vuoi che mettiamo il letto in negozio? Sono Pablo e lavoro a giornata. Che storie.

Me ne andavo là in faccia a mangiare i finocchi. Poi davo mano alla chitarra e mi sedevo su una cassa. Il lavoro in negozio spingeva. Qualche volta veniva una moto, e potevo toccare un motore. Se avessi avuto un capitale era il momento d'ingrandirci. Gina capiva queste cose e mi seguiva. Stava sveglia di notte a pensarci. Io parlavo con questo e quello, facevo i miei conti; ma che proprio credessi all'indomani, non so. Dalla mattina di Luciano qualcosa era successo. Lo sentivo nell'aria che c'era qualcosa. Non poteva durare, ma speravo ancora che fosse un'idea. Certe volte anche a me prendeva l'affanno. Neanche con Gina mi calmavo.

Lei faceva di tutto perché fossi contento, perché restassi

su quel letto a darle ascolto una mezz'ora. Mi parlava di quando era ancora ragazza, del negozio che avevano di là da quei monti, dove suo padre aveva fatto il carradore e il maniscalco, e ci veniva un suonatore di chitarra come me. Volle lavarmi lei la roba e ricucirmela. Mi faceva insalate col pepe e la carne. Una sera mi disse tra brusca e piangente che non poteva avere figli perché l'avevano operata. Disse: – Non devi aver paura, – e mi tirava addosso a sé. Le risposi che non si sa mai.

Era giugno e pensavo di andare sul Tevere. Ma non ero tranquillo. Avrei voluto stare in casa tutto il tempo per sentir subito le nuove se arrivavano. E Dorina un bel giorno doveva tornare. E Fabrizio mi aveva promesso di dirmi qualcosa. Certe volte pensavo che forse era meglio cosí. Non avrei visto piú nessuno, non avrei piú pensato male. Avrei passato quell'estate a lavorare nel negozio. «Uno a Torino e un altro a Roma» borbottavo. – Resta con me, – diceva Gina quelle sere. Meno male, mi dissi, ch'ero sempre sull'ala.

Un giorno misi le mani su quel pacco di libri. Non li avevo buttati nel Tevere. Erano vecchi e bisunti. Me li guardai per passatempo e dissi a Gina: – Se qualcuno ti chiede, quest'è roba del Biondo –. Ce n'era di scritti in francese e altre lingue. Li feci fuori l'indomani giú dal ponte. Ma quelli scritti in italiano me li tenni. Raccontavano come era andata la guerra del '15 e la storia del Fascio e la marcia su Roma. C'erano dentro i socialisti e tutti quanti, contadini, operai, metallurgici, squadre d'azione. I fascisti li avevano carcerati e picchiati, ammazzato i piú in gamba, e incendiate le case del popolo. «Guarda guarda, – dicevo, – leggi il giornale e non si parla che del popolo italiano». Chi pagava i fascisti erano sempre i signori, e gli squadristi i loro figli. Faceva rabbia legger come tanta gente che lavora s'era fatta fregare da quattro padroni. «E Carletto che vuole ancora fidarsene, – dicevo. – E Luciano ch'è dentro per loro».

Tutte le sere ne leggevo un altro pezzo, col batticuore quando un passo si fermava sulla porta, e capivo che un libro cosí non potevo buttarlo via. «Ma li ha letti Carletto? – pensavo. – Possibile?» Ce n'era un altro intitolato *Roma o Mosca*, e mi lessi anche questo perché a Roma ci stavo. Quest'era un libro che nessuno mi poteva metter dentro. Non parlava di Roma. Raccontava che in Russia la gente moriva in prigione, che vivevano in dieci in un lo-

cale solo, che le donne battevano la strada e abortivano.
– Qui che a Roma hanno fatto la marcia, succede lo stesso, – dissi a Gina. Lei mi covava con quegli occhi tutto il
tempo, e sapeva il pericolo e aspettava che andassi a baciarla.

XVI.

Poi Luciano uscí fuori e non gli fecero niente; tornò Carletto vergognoso, e ci trovammo in trattoria; eran tutti gli stessi. Luciano disse che picchiato non l'avevano; ma lo disse cosí per non darsi importanza. Giulianella mi disse piú tardi che aveva veduto la mamma di un altro ritirare dal vestiario una camicia insanguinata.

– Mi hanno preso per fare un confronto, – ci disse Luciano. – È una storia di quando lavoravo a Torino. Conoscevo una bella ragazza che faceva la vita. Un mese fa mi viene in mente di scriverle «Baci, Luciano». È bastato. Lei era già dentro.

– Non ti avevano preso per via di quelli del caffè? – dissi.

– Credevo anch'io. Invece no. Quella ragazza è comunista. Quando mi ha visto ha riso in faccia ai questurini. «Quello?» ha detto. «Quello canta al Nirvana». Non sapeva cos'ero e in questo modo mi ha salvato. Sai, stai fresco se passi per rosso.

– Ma tu non sei mica rosso? – gli disse Dorina.

Erano sempre gli stessi. Carletto taceva. Fabrizio disse ch'era meglio non vederci per un po'. – Chi sta bene sei tu, – mi disse Giulianella, – te la fumi tranquillo. Smettiamola e andiamo a ballare.

Passammo la sera sul Tevere ballando noi due. Feci ballare anche Dorina. Carletto era moscio – sembrava che lui fosse uscito dal carcere. Stava attaccato al suo Luciano e gli parlava sottovoce. Non rideva stasera. – Ti ricordi quel sogno dei gatti? – gli dissi.

– Quale sogno?

Faceva l'uomo preoccupato. Quasi quasi gli chiedevo come se l'erano passata in campagna. Ma mi tenni e gli dissi che i libri li avevo buttati nel Tevere.

– Quali libri?

– Oh smettila, scemo, – gli dissi. – Può succedere a tutti di andare in campagna. Li avevi letti tu quei libri di Dorina?

Li aveva letti, e litigammo fino a giorno. Lasciò che Dorina dormisse da sola; stette con me sulla piazzetta avanti al ponte, e discusse discusse, come un gatto arrabbiato. Anche in Russia, diceva, andava come in Italia. – Guarda in Spagna, – mi disse, – sono i rossi che fanno di tutto per perdere la guerra.

– Quando si perde tutti han colpa, – saltai su. – Ci sei stato tu in Spagna? Ma in Russia hanno vinto, sí o no?

Lui diceva che in Russia si stava come in prigione. – In prigione qualcuno ci vuole, – gli dissi. – Ma che comandi chi lavora è una gran cosa.

– Non ci comanda chi lavora, – disse lui.

Quando andammo di sopra – lui per mettersi a letto, io per farmi la barba – trovai la Marina al balcone, in camiciola.

– Per girare a quest'ora ci voleva la chitarra, – mi disse. – Era meglio se andavi a sentire una messa.

A me di Roma mi piaceva l'aria fresca. Sempre a quell'ora mi sarei svegliato. In cucina trovai le ciliege e mangiando al balcone mi ricordavo quell'inverno che rientravo al primo chiaro e pigliavo il caffè alla stazione o nei bar. «Per male che vada, – pensavo contento, – anche in prigione c'è quest'ora ogni mattina». Che non ci fosse un comunista in tutta Roma, da parlargli? Quella ragazza di Luciano, ch'era dentro. Quella sí avrei voluto vederla e parlarle.

Chiesi in quei giorni a tutti quanti, se qualcuno ne sapevano. Li feci ridere, e Carletto si arrabbiava. Mi diceva ch'è facile trovar delle scuse ma che il primo lavoro è far fuori i fascisti. – Senti, – gli dissi un'altra volta, – se i fascisti ce l'hanno speciale coi rossi, ci sarà il suo motivo.

– È solamente concorrenza, – disse lui.

Intervenne Luciano. – Pablo vuol dire che finché c'è il capitale, ci saranno i fascisti.

Venivano adesso a trovarmi in bottega, specialmente Carletto, ma quasi quasi preferivo far discorso con Luciano, perché lui qualche volta capiva che avevo ragione. – Ma allora, – dicevo, – lascia perdere quelli che vanno al caffè, stai coi rossi. – Non c'è bisogno, – lui diceva, – ci sono loro e ci siam noi. Vinceranno alla fine, noi li avremo aiutati cosí.

– Se saremo ancora vivi, – ghignava Carletto.

Anche Gina ascoltava, senza dire mai niente. Ne sapeva ancor meno di me ma ci seguiva.

– Quant'è scemo e testardo quel Carletto, – le dissi una sera. – Ma perché non capisce che lavora anche lui per vivere?

– Perch'è gobbo, – mi fa.

Io stavo attento agli avventori del negozio, e cercavo di farli parlare. Quando entrava qualcuno in gamba, davo mano al giornale. – Come va questa guerra di Spagna? – dicevo. Ma Solino era il solo che mi desse risposta. Lui andava e veniva dall'osteria alla strada, masticava la sua cicca, si fermava a sputare. – Ci sarà del lavoro, una volta finita la guerra, – diceva. – Buttan giú tante case –. Ma i piú giovani, la gente del ponte, ascoltavano appena. Non ce n'era uno solo che guardasse il giornale. «Accidenti, – pensavo, – o che invecchio o sono scemo. Una volta ero anch'io come loro e leggevo soltanto lo sport».

C'era dei giorni dentro Roma che il calore soffocava. Mi venne voglia di rivedere il mare. Provai qualche volta con Gina a salire sul tram, ma andavamo di domenica e la folla era peggio che a sera sul Corso. Anche arrivati, bisognava fare a piedi chi sa quanto per trovare due metri di sabbia scoperta. Ma sotto il sole era bello vedere quell'acqua. C'era dei giorni che sembrava un cielo unito, l'acqua e l'aria, e nuotandoci dentro si perdeva la vista. Gina restava sulla sabbia e mi aspettava. Certe ragazze che vedevo entrare in acqua, mi piacevano. «Chi sa se qualcuna va al largo e si spoglia», pensavo vedendole.

Poi le sere di mare tornavamo in città, e restavo a cenare e ballare con gli altri. Eran di nuovo in trattoria tutti quanti. Ci veniva anche Gina. Quelle sere, bevendo e ballando, tutto l'inverno mi tornava in mente, e il Paradiso e i camion. Pensavo che niente ci fosse di nuovo, che invece di Gina girasse per Roma con me qualcun altro, e ridessimo andassimo insieme, bevessimo il vino. Ero certo che un giorno l'avrei riveduta; che qualcosa sarebbe successo. Poi mi tornava in mente Amelio, e ci soffrivo.

Quell'officina sull'Aurelia mi piaceva. Si traversavano dei prati a montagnola, era uscire da Roma. Vulcanizzavano a buon prezzo i copertoni e far la strada conveniva. Ci lavoravano operai del Trionfale; quattro o cinque ne trovavo all'ora morta, là davanti, mentre giocavano alle bocce.

Mi fermavo a discorrere. Questi sí che capivano al volo una parola. – Siamo pronti se viene il momento, – dicevano. Chi piú chi meno avevan tutti quarant'anni. Si ricordavano dei tempi della guerra e degli scioperi. – Eravamo ragazzi, – dicevano, – non si è capito, a quell'età, quel che successe. Ma un'altra volta l'operaio non ci casca –. C'era uno giovane, Giuseppe, che a suo padre gli avevano rotta la testa. Lui sapeva perché gli squadristi l'avevano vinta. – Ci dicevano rossi ma non lo eravamo mica. Ci saremmo difesi. Li avremmo pagati. Dove i rossi ci sono sul serio, finisce un po' diverso –. Quando gli chiesi se ce n'era adesso a Roma, lui mi disse: – Chi sa. A buon conto noialtri si aspetta.

Un pomeriggio mi condusse dal suo vecchio. Stava in un buco, al quinto piano di una casa sterminata. Non so perché, mentre salivo, mi pareva di aver già fatto una volta quelle scale. Si sentiva bambini gridare da tutte le parti, e quell'odore di sporcizia, di spezie e di caldo che si sente anche al mare. Giuseppe disse: – C'è un amico che vuole vederti, papà –. Il vecchio stava seduto in cucina e mangiava del pane. Masticava e guardava, a una luce cattiva, aggobbito sul tavolo. Non si mosse; Giuseppe disse a me: – Vogliamo sederci?

Toccò a me far le spese e spiegarmi. Né Giuseppe né il vecchio parlarono per primi. Misero fuori tre bicchieri e mi ascoltavano. Neanch'io non ero troppo chiaro, nel discorso. Dissi a quel vecchio che sapevo le sue idee e che volevo mi spiegasse qualcosa. Ero nuovo di Roma, dicevo. Lui mi ascoltava e mi guardava. Aveva gli occhi fermi e grigi come l'acqua.

– Chi conosci? – mi disse.

– Poi se ne parla, – gli risposi, e andai avanti.

Mi sarebbe piaciuto, dicevo, sapere cos'era successo nel '20. Perché i capi non s'erano fatti piú furbi. Perché i rossi d'allora non erano rossi. Se adesso tutti erano andati a far la Spagna e se finiva anche laggiú come in Italia.

– Non ti ha detto qualcosa Giuseppe? – mi disse.

– S'è parlato, – risposi, – ma poco.

– Che vuoi che ti dica, – mi fece. – Vedi bene la vita che ci fanno. A Torino con gli altri non parlavi di quel che succede?

Che Torino. Sapevo appena ballare.

– Ma sul lavoro. Non andavi in fabbrica?

Gli spiegai dei tabacchi e del tempo perduto. Lui mi

guardava con quegli occhi grigi chiusi. Dissi allora: — Vogliamo fidarci?

— Chi non si fida, figlio bello? — disse lui. — Voglio sapere solamente che ti piglia. Chi conosci qui a Roma?

Allora dissi dove stavo e chi vedevo.

— E con loro non parli del '20 e '21?

— Non è gente che capisca molto. Ma ho letto una cosa —. E gli dissi che avevo veduto quei libri.

Lui non mi chiese di chi fossero, e parlò degli squadristi. Disse che prima erano gente comandata e ben decisa, che sapevano quel che volevano: fare fortuna. — Ma la guerra che ci fanno adesso è un'altra. Gli squadristi sono tutti a riposo. Non serve piú menar le mani. Abbiamo addosso la questura e i funzionari. Se mai sono questi che ti picchiano.

Quando mi chiese s'ero pronto, non gli seppi dar risposta. Ma una cosa che aveva era questa: piú che ascoltare le risposte, le troncava. Qualche volta io dicevo qualcosa; lui parlava già d'altro.

Alla fine mi disse che stessi tranquillo, che pensassi al mio negozio e vedessi Giuseppe. Nella stanza era notte.

Uscendo in strada ero tutt'altro che contento. Mi accorgevo che avevo parlato da scemo, ch'ero come un ragazzo, che quel vecchio e Giuseppe non erano mica del giro di Carletto. Quel che avevo voluto sapere non c'ero riuscito. Che mi avessero preso per spia, poteva anche darsi; ma mi accorgevo che per loro ero soltanto un chiacchierone. «Perché qui. Perché là. Se vogliamo fidarci. Perché i capi non si son fatti piú furbi», erano cose che a pensarci mi levavano il fiato. Girai per Roma ripensandoci, e cercando di capire. Però mi sembrava di esser stato sincero. Piú franco e piú sincero di loro, anzi. Gli avrei detto perfino di Gina, volendo. Poi pensai che Giuseppe potevo rivederlo, e che adesso era un altro discorso anche con lui. Ci pensai sopra un'altra volta, e andai a casa.

All'officina non ritornai cosí di brutto. Aspettai che venisse una giusta occasione. Di giorno lavoravo e la sera leggevo. Con Luciano e Carletto era sempre lo stesso discorso, ma specialmente da Luciano avevo cose da imparare. Lui sapeva per filo com'era andata la guerra di Spagna, e piú diceva piú capivo che quei rossi erano i miei.

Da Giuseppe tornai con delle camere d'aria a tracolla. Passai sotto alla casa del vecchio. Levai la testa al quinto piano pedalando, e pensavo che a Roma di case cosí ce n'e-

ra tante. Bastava un rosso per portone, erano molti. Poi
c'eran quelli carcerati. Quanti in tutto?

Giuseppe venne con me all'osteria a bere un mezzo. Si
parlò della Spagna e di tutto. Io gli chiesi del giro e che
cosa ne pensava. Lui mi disse: – Chi sono? – Gente cosí,
gli raccontai, che non sa andare fino in fondo. Giuseppe allora mi spiegò che tutto serve, anche i signori. – Non guardare alle mani, – mi disse, – non quello che vogliono conta
ma quello che fanno –. Io gli spiegai che non capivo un disgraziato come noi che si mettesse coi padroni. – È per questo che si fa propaganda, – mi disse.

Questa volta m'imprestò dei fogli proibiti, e un libricci-
no che sembrava il catechismo. Il giorno dopo, discutendo
con Luciano, lui mi dice: – Chi t'insegna le cose che sai?
Da quando in qua leggi i giornali? – Avevo letto quella
stampa nella notte, e già fruttava. Capii quel giorno che la
stampa non serviva solamente a minacciare ma a convince-
re. Prima d'allora non me l'ero mai sognato.

Dopo cena provai con Gina nella stanza. Girava in tuta
e mi ascoltò asciugando i piatti. Le lessi tutto il catechismo. Lei lasciò che finissi e poi venne sul letto e si mise di-
stesa.

– Queste cose, – mi disse, – le faranno o le dicono?

– Ci sono dei posti che le hanno già fatte. Ora tocca a
noialtri.

Lei fumava e guardava la volta. – Com'è difficile, Pablo.
Fanno paura, queste cose. E se ti prendono?

– Toccaferro, – le dissi, e ridevo.

– Per stare meglio tutti quanti, – disse lei, – cominciate
a star peggio voialtri. Férmati qui, – mi disse brusca e mi
abbracciò, – non andartene ancora.

Tutte le volte che leggevo o che parlavo, lei riusciva a
portarmi nel letto. L'aveva capita da un pezzo e sapeva gio-
carci. Anche stavolta lasciai fare e mi fermai.

Feci bene perché a metà sera toccarono l'uscio. Era Giuseppe che veniva a continuare quel discorso.

XVII

L'estate a Roma non finisce mai. Quelle notti cortissime duravano sempre. Andammo in giro con Giuseppe fuori Roma, e mi portò in un paese, Sant'Oreste, dove c'era una festa e si parlarono in quattro, sotto gli ulivi della strada. Io seduto a una svolta, facevo la posta a chi andava e veniva: se il maresciallo si muoveva dalla piazza. Un altro giorno mi mandò sulla Salaria a dare un pacco in una bettola a un soldato. Questo soldato uscí dal retro senza giacca; sembrava di casa là dentro; si sedette al mio tavolo con la faccia contenta e mi chiese se non avevo dell'altro da fare. Poi cominciò a parlare basso e far domande – se mi piaceva quel lavoro, se in giro vedevo qualcuno, se conoscevo questo o quello. Lasciai correre. Non gli feci capire che l'avevo capito; solamente non dissi niente di piú. Ci lasciammo contenti.

Ricordo che da diversi giorni non vedevo Carletto; Gina sul Lido aveva preso troppo sole e non poteva camminare, la sera venivano Luciano e Giulianella a trovarla. Un mattino Carletto mi piomba in negozio, mi racconta che ha visto qualcuno e mi chiede se vengo nel centro. Disse che forse gli riusciva di rientrare al Varietà. Per la strada parlammo di quando eravamo a Torino: lui s'agitava cosí gobbo e mi pareva di vederlo al Paradiso. Saltò a chiedermi se la chitarra la suonavo di notte e se all'idea di camparci non avevo piú pensato.

– Ma che cosa succede, – gli dissi.

– C'è qualcuno che vuole vederti –. Eravamo sul Corso. Salí gli scalini del Plaza e mi disse: – Non entri?

Mentre aspettavo in quel salone, non sapevo cosa dirmi. Fortuna che avevo una giacca decente. Mi dànno sempre soggezione piú degli altri i camerieri.

Poi la vidi, vestita da estate – seduta dentro una poltrona, e mi guardava. La riconobbi piú dal gesto di non muoversi che dalla faccia o dalle gambe. Mi chiamò con la mano.

Io pensavo: «Non posso scappare perché aspetto Carletto». Mi ci volle un secondo a capire che Linda era chi lo mandava, che quel ritorno di Torino era lei sola. Quando lo seppi, ero già andato alla poltrona e le parlavo.

Mi fece le feste e voleva sapere. Era lei come offesa, e scherzava e rideva. «Maledetto Carletto, lui ha tagliato la corda». Glielo dissi e lei rise subito, poi mi fece quel broncio. – Tanto t'importa di vedermi? Allora vattene.

– Vuoi che usciamo? – mi disse.

Allora andammo per le strade, e mi cozzavo nei passanti. Dopo un po' ci trovammo sul Tevere, contro il muretto.

– Che cos'è che vuoi dirmi? – le chiesi.

– Niente, – mi disse, – se la prendi a questo modo. Mi fa piacere rivederti, una sciocchezza, e sapere se vivi contento.

– E tu com'è che sei a Roma? – dissi.

Era tutta abbronzata e, vestita leggero, non mi sembrava piú la stessa. – Sei stata al mare? – dissi ancora.

– Anche tu sei piú nero, – mi disse. Poi raccontò che andare al mare è sempre un rischio, si è nelle mani della gente, chi ti tocca ti tocca, non si può mai starsene soli. – Ho passato sei giorni, – mi disse, – ch'ero proprio felice. Nessuno con me. Pensavo: «Ci fosse qui Pablo». Ero sola dal mattino alla sera. Tu vai?

– Mezza giornata la domenica, e mi scoccio.

– Sei sempre quello, – disse lei. – Ma quante cose non mi dici. Ti piace Roma? cosa fai? guadagni soldi?

– Carletto mi ha detto qualcosa, – riprese. – Ma Carletto non è come noi. Non capisce. Voglio sapere se vuoi sempre far quattrini.

– Ti sei trovato la ragazza che ti piace? Carletto mi ha detto di sí. Te la sposi?

Le raccontai che stavo bene perché di niente e di nessuno m'importava. – Il lavoro che faccio mi piace, – le dissi, – e ho capito che il modo di farli è pensare a tutt'altro. Mi sembra sempre che qui a Roma sono entrato l'altro ieri. Qui è festa anche i giorni feriali.

– Senti, – mi disse, – devi dirmi tante cose. Tu dove mangi? dove stai? Ceniamo insieme?

– Questa sera non posso, – le dissi, – e quest'oggi lavoro.

Senza lasciarci andammo invece in una bettola a mangiare. Disse: – Mi aspettano. Bisogna che li avverta –. Non c'era il telefono. – Chi ti aspetta? – le dissi. Si fermò sulla porta a guardarmi, e sorrise. – Che vadano, – disse, – voglio stare con te.

Si sedette e mi parlava come fossimo amici. Io per vederla mangiare avrei dato ogni cosa. Si ricordò della chitarra e me ne chiese. – Roma è fatta per te, lo so bene. Qui piace a tutti un suonatore di chitarra.

– Non mi hai mai detto ch'eri stata a Roma.

Lei sorrideva e mi guardava. Mi raccontò dell'atelier e di tante cose. – Hai fatto male, – mi diceva, – a partire cosí, senza dirmelo.

– Guarda un po', – dissi allora.

Lei fumò una boccata e mi prese la mano sul tavolo. – Non credere, – disse, – so tutto quello che hai passato, e mi dispiace.

Quando fui solo e fu sparita lungo il Corso, tutta Roma era un'altra, ormai. Ci saremmo veduti alle cinque, per cena. Mi aveva detto che voleva accompagnarmi nei miei posti, vivermi insieme anche soltanto quella sera. – Voglio ancora ballare con te, – aveva detto. – Voglio ancora parlarti.

In tre ore dovevo tornare, pulirmi, passare in negozio, far tutto. – Cosa c'è? – mi gridò la Marina vedendomi entrare. Poi nel negozio trovai Gina ch'era in piedi, e mi passò una commissione di Giuseppe. Era venuto poco prima e non aveva detto niente, ma sapevo che quando veniva mi aspettava sul tardi. Mandai Pippo a portargli una gomma e dicesse che avevo da fare. Gina s'accorse che qualcosa c'era in aria. Avrei dovuto passar prima dal negozio e poi a casa. – Sono andato a cambiarmi perché vedo qualcuno, – le dissi. – Non torno a casa questa sera.

Finalmente nel sole ancor tiepido ci trovammo sul Corso. Linda aveva il vestito di prima, le gambe scoperte – e un braccialetto d'oro al polso. Sembrava che fossimo al mare. Io facevo, correvo, ridevo come quando si dice: «Quest'oggi non conta, ci penso domani». Tante ragazze avevo visto all'improvviso per le strade e detto «È Linda», che per un giorno non dovevo aver paura di caderci.

– Dove mi porti? – disse lei.

Girammo a zonzo. Rifacemmo i discorsi di prima. Disse che ancora non capiva di quel giorno all'atelier. Lei ce l'aveva solamente con Carletto, quella lingua. – Il fatto è che tu non volevi saperne, – mi disse. – Non puoi capire che una donna abbia una vita come gli altri. Tu sei fatto cosí.

Per il momento mi sembrò di aver di nuovo il batticuore e fui quasi per crederle e dirle: «Ti sbagli». Se tutte quante quelle notti e quelle rabbie eran state per nulla, veramente dovevo buttarmi nel Po. Ma non mi tornò il batticuore – troppe volte ci avevo pensato. Non m'importava che Lubrani fosse a Roma insieme a lei. Non m'importava che la Gina m'aspettasse alla baracca. M'importava soltanto di averla vicino, di tenerla per il braccio, di darle del tu. M'importava che fosse una nuova ragazza e che lo sapesse anche lei.

– Per me, – le dissi, – questa sera è un'altra cosa. Noi non ci siamo conosciuti che quest'oggi; qualche Amelio ti manda e tu giri con me.

Allora Linda fece un grido e si fermò.

– Non te l'ho detto e ci ho pensato tutto il viaggio. Lo sai cos'è stato di Amelio? – Mi parlò nell'orecchio. – Faceva il rosso, il comunista, e c'è cascato. L'hanno portato nelle carceri in barella.

Alzai le spalle e feci come non credessi. – Proprio a te l'hanno detto, – le dissi. – Chi ti dice che fosse coi rossi –. Ma stavolta le mani tremavano a me. – Possibile? – dissi. – Se non poteva fare un passo giú dal letto.

– C'è bisogno di muoversi? – disse. – Lavorava già prima. Non ti ricordi i giornali che leggeva? Gli han trovato il materiale nella stanza.

Deviammo insieme in una strada semivuota. Tutto il cielo era rosso, era bello; qualche vetrina era già accesa, rivedo ancora quella strada come allora. Linda aveva negli occhi il riflesso del cielo; parlava brusca e sembrava ridesse.

– Linda, non sono piú lo stesso, – dissi forte. – Finirà che ne ammazzo qualcuno.

Lei disse piano: – Mi fa pena. Che vuoi farci?

Non aveva capito. Era bene cosí. Mi raccontò che ai primi tempi lei gli aveva dato mano, quando andavano insieme a Vercelli e Novara. Quella notte che Amelio s'era rotta la schiena, gli aveva tolto lei di tasca delle carte. Poi leggendole aveva capito il pericolo grosso. Quelle carte dicevano chiaro di star preparati, che sarebbe venuto il momento.

– È per questo che tu l'hai piantato? – le dissi.

Rispose arrossendo, o mi parve, in quell'aria.

– E adesso è dentro, sopra un letto, come un morto?

– Finirà che lo portano a Roma, – mi disse. – L'hanno preso alla fine di maggio.

Fino a cena parlammo di Amelio. Venne il momento che mi disse: – Adesso basta. Se riesce vivo, chiedi a lui come gli è andata –. Cercava di ridere.

Per non pensarci, bevemmo del vino. Linda disse: – Non andiamo al Paradiso? – Un'ora prima avrei goduto a quest'uscita, ma adesso era come parlar dell'inverno e di quando ero un altro. – Bevi ancora, – le dissi, – non ho voglia di musica.

Entrò un cantante e una chitarra, e ci seccarono. Linda rideva e mi chiese se ancora non mi ero messo a quel mestiere da romano. Ce ne andammo a ballare sul Tevere. Fu la solita cosa. Lei mi parlava nell'orecchio e si appoggiava tutta a me. Venne il momento che le dissi: – Andiamo a casa.

– Non ho casa, – mi disse guardandomi. – Non vivo da sola.

Io pensavo a Giuseppe che mi aveva chiamato. Pensavo a Torino e a quel grosso dolore. Pensavo a tutti i batticuori e le superbie, e non riuscivo a rivoltarmi. «Se adesso Amelio fosse qui cosa direbbe», mi chiedevo. Se sapesse che sono dei suoi.

Non mi faceva piú paura avergli presa proprio Linda. Quella sera sapevo che le donne non contano. Mi chiedevo, se mai, se valeva la pena. Se non dovevo correr subito con gli altri a lavorare. «Amelio, – dicevo, – ci aspetta in prigione».

Ballai con Linda un'altra volta e lei mi disse: – Il Mascherino. Te la ricordi quella sera che giocavamo all'avvenire?

– Non si sa l'avvenire, – le dissi. – Puoi dire soltanto, da quello che hai fatto, che cosa farai.

– Quest'è vero, – mi disse. – Si fan sempre le cose che abbiamo già fatto.

– Ma non sempre tu sai cos'hai fatto, – le dissi. – Tutti i giorni ne impari una nuova.

Allora Linda si fermò e mi disse: – Andiamo.

Camminavamo su quei ciottoli che sembrano pianelle. Linda diceva: – Com'è bella questa Roma.

– Vuoi che andiamo in un bosco? – le dissi.

Si mise a ridere e mi disse: – Le sai tutte.

Mi fermai, la baciai; lei mi tenne le mani. – A Torino facevi piú storie, – mi disse.

Salimmo la scala dei Monti e non c'era nessuno. Sotto le piante ci baciammo per un pezzo.

– Com'è bello, – mi disse.

C'era l'odore delle piante e c'era il suo.

– Ci sei venuto con le donne in questo posto?

Allora le dissi che avevo pensato a venirci con lei. – Se non fosse che tu non ti sposi, – le dissi, – sarebbe bello averti a Roma qui con me.

Lei mi strinse le mani e parlò della Bionda. – A sentire Carletto è una stupida, – disse. – Ti viene dietro come fanno i cagnolini. Io credo invece che tu l'abbia innamorata. Le hai parlato di me?

– È un'altra cosa, – dissi allora, – e tu sei qui.

Ci ribaciammo. Lei disse: – Andiamo al Plaza.

XVIII

Poco prima di giorno mi disse di andarmene. – Sai com'è, ti conosco. Non sapresti capire –. Io la sapevo dalla sera questa cosa, ma ero fiacco.

– Lui saprebbe capire? – le chiesi sugli occhi.

Lei si girò, non disse nulla, e si stirava sospirando.

– Lasciami fare un lungo sonno. Stanotte sarò in treno.

Mi rivestii sopra il tappeto, in piedi, e dalle persiane respiravo l'aria fresca.

– Roma è bella a quest'ora, – le dissi. – Quando a Torino me ne andavo avanti giorno, ero felice.

– Sei cattivo, – mi disse.

– Ero solo un ragazzo. Se mi avessero detto chi prendeva il mio posto... Linda, perché sei ritornata?

– Ci stai male?

– Ci sto male per te.

Allora lei saltò dal letto, e mi abbracciò. Non voleva che me ne andassi pensandola male. Non voleva che andassi a bere del vino. Non capiva perché non capivo le cose.

– Senti bene, – le dissi. – Stanotte è andata come è andata. So quanto vali e quanto costi. Tu sei la stessa ma io no.

Quel braccialetto mi premeva sulla nuca. Mi staccai.

– Quanto ti costa questa stanza? – le dissi.

Quella fu l'ultima sciocchezza. Lei rise. S'era seduta sopra il letto e mi guardava.

– Non vuoi capire o non capisci? – brontolò.

Spalancai le persiane – sporgendo la testa c'era un cielo già chiaro.

– Fumiamoci l'ultima buoni, – mi disse.

Cosí fumammo, e guardavamo la finestra.

– Sei sicura che Amelio lo portano a Roma?

– Ci pensi ancora? – disse lei. – Se lo sapevo stavo zitta.

– Lo porteranno alla Lungara, – dissi. – Quello è il Plaza per noi. Quando parti?

– Questa sera alle nove. A Torino sarò sola.

Parlava appoggiata alla mia spalla e tremava nel fresco. Fece la voce di chi piange e mi guardava.

– Se vieni a Torino, – mi disse, – verrai a cercarmi?

Buttai la cicca e mi staccai. – Serve a qualcosa?

Mi guardò con la faccia imbronciata. – Tu non mi hai mai voluto bene, – disse piano.

Quando fui sotto nella sala, ci pensai. Non mi ero nemmeno voltato alle scale. Due camerieri in grembialone buttavano in aria tappeti e sofà. Erano aperte le finestre, e tutto acceso, ma la luce di fuori scoloriva la falsa.

M'immaginai Lubrani steso che dormiva. Me lo vidi in mutande abbracciato con Linda. Quel che lasciavo in quelle sale era un'idea, una sciocchezza. Era meglio la strada libera, la gente che andava.

Al Flaminio mi fermai a prendere un caffè. Povera Linda, anche con lei l'unico modo era di smettere. Adesso era lei che diceva parole. Pensavo al piacere carogna d'un tempo se avessi saputo. Ma che cos'era tutto questo dopo Amelio? Forse Linda l'aveva capita.

Saltai intanto sulla rossa e passai da Giuseppe. Per non dare nell'occhio aspettai sotto il viale e pensavo addirittura che avessero preso qualcuno. Mi fece bene andargli incontro quando uscí.

Era successo che dovevo correre subito in negozio. Era arrivato uno da fuori e bisognava dargli casa. Ieri notte mi avevano cercato dappertutto. Ero il solo che disponessi di due letti, e dovevo prestarmi.

Cosí conobbi Gino Scarpa, che rientrava dalla Spagna. Il suo nome era un altro ma chi lo sapeva? Lo trovai già in negozio, seduto, che scherzava con Pippo.

– Sono Pablo, – gli dissi.

Era magro e bruciato di sole, gli ridevano gli occhi. Disse subito: – Ho sonno, mettetemi a letto.

Mandai Pippo a comprare, e parlammo con Gina. Forse era meglio lo portassi nell'alloggio. – Qui vanno e vengono i clienti e c'è il ragazzo.

– Meglio qui, – disse lui. – C'è di buono che si esce dall'orto.

Quando Pippo tornò, lui dormiva già da un pezzo. S'era buttato sul letto di Gina. Tutto il mattino lo passai sulla strada a lavorare; Gina aveva tirato la tenda e cucinava. Ogni tanto dal buco guardava me e Pippo. Ci fu un momento che il ragazzo rovesciò una bicicletta; cadde sul secchio e fece un chiasso d'inferno. Io gli dissi: – Ma sí. Rompi tutto –. Lui mi guardò senza parlare e tirò su la bicicletta.

Finalmente lo mandai a mangiare e feci un giro fino in piazza a comprarmi il giornale. Allo Stadio c'era stata una festa fascista, Roma era piena di camicie e di balilla, il giornale era tutto un discorso. Della Spagna parlavano appena. «Vanno bene le cose», pensai.

Sull'uscio, trovai Gino Scarpa nella tuta del Biondo. Mangiava una mela. – Com'è che sei Pablo? – mi disse. – Sei stato laggiú?

– Macché. Suonavo la chitarra.

Mi chiese allora se a Torino conoscevo questo e quello.

– Ero giovane, – dissi. – Non leggevo i giornali.

Gina ci disse ch'era pronto. Aveva messo una tovaglia bianca bianca, e tagliate le fette del pane.

Io la guardai mezzo ridendo. – Con la tua tuta ti somiglia –. Dal giorno prima non l'avevo piú pensata accanto a Linda, e nemmeno guardata sul serio negli occhi. Adesso che Scarpa cambiava le cose e chiariva il perché della notte, potevo guardarla. Aveva un'aria tra raccolta e malcontenta. Non sorrideva e non si mise a tavola.

– Avete fatto conoscenza, – dissi a Scarpa, – le hai rubato i calzoni e sei Gino anche tu.

– È una divisa che mi piace, – disse lui. – È quella vera ma nessuno ti conosce.

Poi parlò della Spagna come fosse Trastevere. – Avevo quattro piemontesi nel reparto. Che ragazzi. Eran venuti da Digione a loro rischio. Se a quest'ora non sono caduti, stanno chiusi a Madrid.

– Che si dice qui a Roma? – mi chiese di scatto.

– Della Spagna si ride...

Masticava e guardava nel piatto. Lasciò che dicessi – anche Gina ascoltava – poi scosse la testa. – Ci costa troppo questa guerra, – disse poi. – Mentre i fascisti mandan carne da cannone, noi si perde dei quadri per niente. Loro attaccano. Loro hanno scelto il momento e il terreno.

– Qui si dice che è colpa dei russi.

Dal negozio chiamarono e Gina si mosse. – Non è niente, – ci disse dietro la tenda.

A bassa voce chiesi a Scarpa se sapeva di Torino. Dissi il nome di Amelio, e che stava in un letto. Non sapeva. A quel tempo era in Spagna. – C'erano i nostri mutilati, – mi rispose, – che finivano in mano al nemico. Ne ho veduti con gli occhi strappati.

Gina rientrò e con lei Giuseppe, che ci disse «Salute» e rimase a guardarci. Dopo un momento Scarpa smise di parlare.

– Questa notte, – gli fece Giuseppe tranquillo.

Poi Gina ci diede il caffè. – Quel tuo amico, – fa Scarpa, – non hai chiesto ai compagni di qui?

Parlammo allora di Torino e se qualcosa era successo.

– Caduti ne sono caduti, – diceva Giuseppe. – Non c'è nessuno che ci metta sui giornali.

– Qualche nome si legge.

– Quando dicono il nome è qualcuno che non morde, si sa, – fece Scarpa ridendo con gli occhi. – Soltanto se nessuno ne parla, è dei nostri.

Quella faccia bruciata era proprio da Spagna, e non c'era vissuto che nei mesi della guerra. Feci caso che gli occhi di Gina somigliavano ai suoi. Gina era chiusa ma il calore era lo stesso.

Né Giuseppe né Scarpa sembravano accorgersi che lei ci sentisse. A un certo punto richiamarono e Gina rientrò nel negozio. Noi parlavamo come prima. Ero il solo dei tre che pensasse alla tuta.

– Questa notte, – mi disse Giuseppe, – si voleva riunirci da te. Ma per qualcuno è fuori mano –. Mi spiegò dove Scarpa doveva trovarsi e di fare attenzione. Mi toccava montare la guardia. – Prendi magari la chitarra, è sempre buona.

Poi si alzò per andarsene. Passati loro dalla tenda, passai io. E nel negozio vedo Linda che aspettava.

Linda e Gina si guardavano, aspettando qualcosa. Era seduta su una cassa e non si alzò, mi disse: – Ciao –. Poi mi fece un sorriso maligno e aspettò che parlassi.

– Disturbo? – mi disse alla fine.

– Non parti stasera?

– Sta' buono. Ho voluto vedere la ditta.

Giuseppe disse: – Siamo intesi, – e se ne andò. Sentii che Scarpa mi guardava divertito. Gina era sempre in faccia a Linda e non fiatava.

– C'è voluto Carletto per dirmi la strada. Mi dispiaceva non poterti salutare. Qui si lavora notte e giorno, a quanto vedo.

Si alzò in piedi e ci disse: – Pablo è sempre lo stesso. Vuole che porti i suoi saluti ai torinesi, e non lo dice. Sono stupida a farlo. Non ha bisogno di nessuno ma gli servono tutti.

Disse l'ultima frase con la voce di un'altra. Scarpa mi disse: – Tu hai da fare. Noi andiamo –. Ma fu allora che Linda si mise a gridare e rideva e non era piú lei. – Non ci sono segreti con Pablo, si sa. È un ragazzaccio che ha bisogno della mamma. Qui lo sappiamo almeno in tre. Senza frutta, padrona. Levargli la frutta, quando ha fatto i capricci.

– È questo che avevi da dirmi? – le chiesi cattivo. Ogni cosa era vera. Diedi un'occhiata a Gina, se ridesse anche lei. Ma la vidi raccolta e intontita e furente. Bastò per calmarmi. Dissi a Scarpa: – Lascia che le parlo un momento.

Linda mi disse: – Non occorre. Me ne vado –. Poi ridendo: – Volevo soltanto sapere chi sei.

Si fermò sulla porta; ci guardò tutti quanti.

– Però potevi trattar meglio una tua amica. Sembra di entrare all'osteria, in questa casa.

Sentii Gina raccogliersi e dire: – Perché? Quel che aveva da dirle gliel'ha detto stanotte.

Linda disse: – Se tutti permettono, voglio parlarti.

– Non c'è bisogno, puoi parlare in faccia a tutti.

Allora Linda scosse il capo e mi guardò. Levò la mano e saltò fuori, era andata. Ultima cosa, avevo visto il braccialetto.

Scarpa non c'era, era tornato nella stanza. Gina, appoggiata al banco, non parlava. Non mi guardò. Guardò con quegli occhi la porta e la strada.

– Mi dispiace per gli altri, – dissi brusco.

Gina disse: – Se torna l'ammazzo.

Tutti e due fissavamo la porta. – Le sai queste cose, – le dissi. – Non c'è niente di nuovo. C'è soltanto che vali di piú.

– Se ritorna l'ammazzo.

Non la toccai, non le parlai per consolarla.

– C'è da fare, – dissi. – Tutto questo è finito.

Quel pomeriggio m'invitò Scarpa all'osteria. – Traversiamo la strada, – diceva. – Meglio farsi vedere che no.

Ci sedemmo in un cantuccio sotto i mirti. Mandammo Pippo a comprarci un toscano e comandammo un po' di vino. – Con questa storia, – lui diceva, – vivi al chiuso e poi viaggia e poi corri, mai che posso allungare le gambe e pigliarmi una festa.

Mi parlò di una voglia che aveva – buttarsi in campagna, allevare i maiali, non muoversi piú. – Il male è che quando mi fermo c'è sempre la guerra. O degli altri o la nostra, c'è sempre. Una volta la casa l'avevo. Passato.

– Tu ne hai troppe di case, – mi disse. – Stacci attento, ne ho visti sudare.

– È che una storia non finisce mai a tempo, – gli risposi. – Questa volta credevo di averla chiarita.

Scarpa rideva con quegli occhi. – Non lo sai che una storia torna almeno due volte? Prima sul serio, poi per burla. È come un morto, un annegato, che ritorna a galleggiare.

Avevo voglia piú di bere che di ridere. Fortuna che Scarpa discorreva anche per me. Quella cosa che Linda mi aveva gridato – che per me una donna era solo un capriccio – era vera, e l'aveva sentita anche lui. «Devo parlargliene» pensai.

XIX

La notte andammo alla riunione in una bettola. Per non farci fermare al ritorno, si durò fino all'alba. Gino Scarpa scese con gli altri in una specie di cantina, che metteva in un'altra cantina, di dove in caso si usciva. Io restai con Giuseppe nella stanza di sopra. Mi ero portata la chitarra ma, se avessi suonato, a quell'ora una ronda poteva sentirci. Avevo sonno, mi pesava l'altra notte. Giuseppe saliva e scendeva le scale, e ogni volta mi dava una voce. – Statti su, – mi diceva, – pensa che colpo, se ci prendono.

Mi tenne sveglio il batticuore, questo sí. Sapevo che in quella cantina i compagni erano molti e che Scarpa da solo valeva per tutti. Non per niente discussero tanto. Dissi a Giuseppe d'informarsi di Torino. Fu solamente sotto l'alba, quando si sentí «Hanno finito» e il padrone portò del caffè anche a noialtri, che Giuseppe mi fece, tranquillo: – Hai ragione. Quel tuo amico era un compagno.

Di piú non sapeva, o non volle parlare. Qualcuno intanto dei piú giovani, che andavano al lavoro, uscí da una parte o dall'altra. Il padrone teneva socchiuso, e per finta scopava. Degli altri non vidi nessuno.

Quando partii con Gino Scarpa era già luce. M'ero accorto, dagli ultimi discorsi, che la riunione non l'aveva contentato. Capii che si doveva farne un'altra.

Traversammo i giardini del Pincio, nel primo sole. Camminavo intontito, come si nuota controcorrente. Se non ci fosse stato Scarpa, mi buttavo su una panchina. – Che ti pare? – lui mi disse. – Si fa colazione? Sarebbe bello mangiar qui sotto le piante.

Invece scendemmo al Flaminio, in quel caffè dov'ero entrato il giorno prima. «È destino, – pensavo, – che rincasi a questa ora».

– Stai su, – disse Scarpa, – è una guerra anche questa.

Ma non aveva piú la faccia cosí viva. Gli vedevo le rughe, quelle rughe di magrezza, che raccontavano quante ne avesse passate. La sua forza era tutta negli occhi. Mentre sorbiva il caffelatte, mi saltò in mente la gola di Amelio buttato sul letto.

– Soltanto a vederci si capisce chi siamo, – dissi. Per fortuna non c'era nessuno.

Scarpa gettò un'occhiata smorta alla cassiera e serio serio borbottò: – Tutti i compagni hanno la faccia di chi dorme sotto al letto. È questa vita che facciamo.

Io presi grappa nel caffè, ripensando a quel destino. Ma capii che una volta l'avevo subìto, mentre adesso sapevo per chi lavoravo. Anche su questo avrei voluto sentir lui.

Tornammo a casa, e per la strada lo vedevo inquieto. Gettava occhiate alle nuvole e ai pini del colle.

– Questa Roma, – mi fa. – Non si riesce a capirla. Hanno tutti una testa. Parlar con loro sembra d'essere al governo. Gira gira, il fascismo ce l'hanno per casa. Gli fan la guerra sopra il suo terreno. Sono tutti paesani. Che faccia abbia preso nel mondo, nemmeno si sognano.

Gli chiesi allora se non erano compagni.

– Di parole ne dicono tutti, – mi fece. – Tu non c'eri stanotte –. Mi guardò divertito e assonnato. – C'è il suo bello a discutere. Tu non sai quant'è bello.

Io gli dissi che intanto era a Roma che avevo capito.

– Ma è cosí, – disse lui. – Succede sempre. A Roma sembra tutto piú facile. È successo anche a me di capire, quand'ero studente. Poi, per disgrazia e per fortuna, ho visto il resto.

Che Gino Scarpa avesse fatto lo studente, mi stupí. Sembrava un uomo come noi, soltanto piú in gamba. Intanto eravamo arrivati.

– Allora Roma la conosci, – gli dissi.

– Dai miei tempi è cambiata, – mi disse ridendo. – I romani, non cambiano.

Gina ci accolse sulla porta, contenta. Ci aspettava per farci mangiare un boccone, ma le dissi che cascavo. Gino Scarpa si mise nell'orto a guardar nuvole; io mi buttai sopra quel letto e chiusi gli occhi.

Passai da casa verso sera per parlare alla Marina.

– Buon uomo, – mi disse, – non consumi la chiave.

– Si lavora, – le dissi.

– La faccia ce l'hai.

– Come vanno i vicini?

Le pagai la mesata e le chiesi se aveva in contrario che ci dormisse quella notte un vecchio amico.

– Lo conosci da un giorno, – mi disse, – e gli dài da dormire?

Allora passai da Dòrina e trovai tutti in aria. C'era di nuovo che Carletto era accettato all'Argentina. Quella sera gli avrebbero fatto il contratto. Era fuori e sarebbe tornato a momenti. – Sono contento per voialtre, – dissi a Dorina, – ma Carletto è un fringuello.

Lei si offese e mi chiese perché.

– Non succede che a Roma, – le dissi. – Tutto finisce in allegria.

Allora Dorina mi disse di smetterla. Non ero piú l'amico vero di Carletto, ecco il fatto. Da quando stavo con la Gina ero cambiato. Da quella volta di Luciano ce l'avevo su con loro. M'ero messo con gente che puzzava di sporco. Che avrebbe finito per farmi del male. Lo dicevano tutti.

Divenne rossa e le mancò la voce. In sostanza diceva che avrei fatto meglio a passare le sere con loro, a suonar la chitarra, a cercare di entrare in teatro. – Carletto adesso può aiutarti, – mi diceva. – Non ti fidare di quegli altri.

Capii ch'era meglio se Scarpa dormiva dov'era. Tanto valeva, per due giorni. Ci stava bene nel negozio, e s'era messo con Pippo a montare le ruote. Quella sera cenammo e sedemmo nell'orto. Non s'aveva notizie degli altri. Per mezzanotte si doveva radunarci un'altra volta. Aspettavo Giuseppe.

– Suona un po' di chitarra, – mi disse.

– Se davvero sei stato studente, – gli chiesi, – e tuo padre era un borghese, come va che lavori con noi? Perché hai dovuto scappare? Non ti conviene che in Italia c'è il fascismo?

– Tutte le classi hanno dei matti, – disse lui. – Se non fosse cosí, saremmo ancora a Roma antica. Per cambiare le cose ci vogliono i matti. Ti sei mai chiesto cos'è un matto a questo mondo?

Poi mi disse: – Anche tu sei un matto. Ti conviene il lavoro che fai? Se rischi il muro o la galera, chi ti paga?

– Siamo tutti sfruttati...

– Chi ti sfrutta? la Gina?

Parlava brusco e divertito. Avevo voglia di rispondergli.

– Voglio dirti una cosa, – mi fece. – C'è questa sola differenza tra noi due: quello che a me è costato mesi di su-

dori per decidermi e libracci e batticuori, tu e la tua classe
ce l'avete nel sangue. Sembra niente.

– Difficile è stato trovarli, i compagni.

– E perché li hai cercati? Speravi qualcosa? Li hai cercati perché avevi l'istinto.

– Quei pochi libri vorrei leggerli. Se un bel giorno le
scuole saranno per noi...

– Non è molto il guadagno dei libri. Ho visto in Spagna
intellettuali far sciocchezze come gli altri. Quel che conta
è l'istinto di classe.

Parlavamo cosí, dentro l'orto. Non era buio ma i lampio-
ni s'accendevano a distanza. Qualche finestra s'era accesa.
Pensare che Scarpa partiva domani, mi faceva un'invidia.
Tante cose poteva insegnarmi.

Giuseppe venne ch'era notte e ci disse: – Qualcuno ha
parlato.

Era successo che la bettola era stata piantonata. Un compagno li aveva veduti che si davano il cambio, uno a un tavolo l'altro sull'angolo. Non avevano preso ancora nessuno,
aspettavano i grossi. – Prenderanno il padrone, – ci disse,
– che non sa dov'è Scarpa. Voi compagni, occhi aperti.

Se ne andò a passi lenti, come era venuto. Scarpa mi disse che il padrone in questi casi cade sempre; ma a lui sarebbe piaciuto vedere nei guai qualche testa piú dura. – Allora andiamo a far due passi? – mi propose.

Io guardai dalla porta se non c'erano facce. – Vieni anche tu, – dicemmo a Gina, che aspettava solo questo.

Salimmo su per la collina, dalla chiesa. Gente andava e
veniva, e facevano baccano. Dalle osterie, a quella luce, si
sentiva odor di vino. Chi non gridava, era soltanto a bocca
piena. Su tutta Roma c'era un cielo nero e acceso. – Se stanotte magari ci pigliano, – dissi, – l'ultima cosa che sapre-
mo sarà questo.

– Questo cosa? – disse Gina.

– Come mangiano, gridano e bevono a Roma, – disse
Scarpa, – è cosí?

Gli chiesi allora se capiva sempre tutto.

Mi rispose che è come un amico che si è innamorato. Si
sa già prima quel che dice. Tutti a suo tempo siamo stati
innamorati.

– Pablo non è di quest'idea, – disse Gina.

C'era qualcosa nella voce che ci mise in allegria. – Sono
storie, – fa Scarpa, – Pablo è un bravo compagno.

Poi ci disse di quando era stato in prigione qui a Roma. – Dieci anni fa. Ne avevo venti. Allora facevo l'anarchico. Mi han messo fuori perché han detto «questo è fesso».

– Come trattano dentro? – gli chiesi.

– Non è dentro che trattano male. Sono la gente che sta fuori. Ero anch'io innamorato, e in un mese mi avevano già messe le corna.

Gina gli disse: – Sarà vero?

– È una vita cosí. Va sempre male se vai dentro. C'è un'altra cosa che succede. A starci un pezzo ti dimentichi la gente. Esci fuori e ti accorgi che il mondo viveva lo stesso. Si capisce che cosa vuol dire esser morti.

– Meglio morire, – disse Gina.

Uscimmo fuori dalle case e si vedeva mezza Roma.

Dissi a Scarpa: – Domani dovevi partire.

– Brutta cosa, – mi disse. – Poter fermarsi solamente quando sai che sei cercato.

Tornammo indietro e mandai Gina nella stanza della vecchia. Noi rientrammo in negozio e per metà della nottata si discusse. Scappare o cascarci, diceva, era uguale. Quello che importa è che ne restino degli altri. Ma viene un momento, diceva, che vorresti esser preso e non muoverti piú.

– Qui da voi non è niente, – mi disse. Mi raccontò della Germania e delle carceri di Spagna. Mentre parlava mi venivano i sudori. – Abbiamo contro tutto il mondo, – mi diceva. – Non farti illusioni. È questo che qui non volete capire. Difendono il piatto e la tasca, i borghesi. Sono pronti a far fuori metà della terra, a scannare i bambini, pur di non perdere la greppia e lo staffile. Arriveranno anche in Italia, sta' sicuro. Parleranno magari di Dio o della mamma.

Mi venne in mente che Carletto aveva detto delle cose come queste. Glielo dissi.

– Se tu non sapessi com'è, – mi spiegò, – non saresti un compagno. Ma altro è saperlo, altro sapersi regolare. Tutti siamo borghesi quando abbiamo paura. E chiuder gli occhi e non vedere il temporale, è soltanto paura, paura borghese. Che cos'è, se non questo, il marxismo: veder le cose come sono e provvedere?

Mi spiegò che in Italia i borghesi facevano un gioco. «Bravi ragazzi, – ci dicevano i borghesi, – si sta male anche noi. Mettiamoci insieme e diciamo al governo che basta. Conviene a noi ma piú a voialtri. Guardate all'estero i cattivi cosa fanno. State con noi, vi salveremo».

– E invece, – disse quella notte, concludendo, – bisogna
salvarsi o morire con gli altri. La guerra di Spagna è perduta.

Il giorno dopo venne Gina e ci svegliò. Io mi misi al lavoro; lui stette nell'orto a lavarsi la roba. Chiesi a Gina
che cosa dicevano le donne in casa. Lei mi disse ridendo:

– Sono stupiti che dormi con lui.

– L'hanno assunto Carletto al teatro?

– Questa sera ci vogliono a cena.

Per tutto il giorno non pensammo a quell'invito. Scarpa
stette tranquillo sul letto o nell'orto. Avevamo deciso di
andare a passeggio col buio, tanto per fare qualche cosa, e
bere un litro, quando arriva un ciclista con le gomme a tracolla. Lo conoscevo, era di quelli dell'Aurelia. – Il padrone
ha parlato, – ci disse. – Stanno arrestando della gente. I
compagni han deciso che Scarpa non resti in città. Devo
portarlo alla stazione di Trastevere.

Scarpa disse: – Fortuna che ho lavato la roba.

Si rivestí, posò la tuta e diede un bacio a me e alla Gina.

– Non scordarti i compagni di Spagna, – mi disse, e
partí.

xx.

Siamo tutti vigliacchi. Scomparso lui, mi parve d'essere
sollevato. Ero sicuro che quell'oste non sapeva dove stavo
e dissi a Gina: – Vuoi che andiamo a teatro?
Lei mi guardò, con l'aria allegra.
Carletto, le donne, Luciano e i colleghi cenavano vicino
all'Argentina. Per arrivarci feci un giro e intravidi la bettola di quella notte. Era chiusa e sprangata; la gente passava
senza far caso. In quanti posti, pensavo, noi si passa e c'è
stata la forza e nessuno lo sa. Forse un bel giorno, chissà
quando, qualcuno potrà dirle tutte.
La rivista era il solito; da tanto tempo non ne avevo piú
vedute. A Torino, per via delle gambe, non c'ero piú andato; e neanche a Roma non ci avevo mai pensato. Mi pareva
che a Roma nessuno ne avesse bisogno. Non so perché, con
quei fascisti dappertutto e col papa e con piazza Venezia,
pensavo che non fosse permesso. Altra gente, dicevo, altre
usanze. Ma poi sul Lido avevo visto quei costumi in due
pezzi. Dove c'è l'uomo, c'è la donna che ci sta. Per pigliarsi
bel tempo sono tutti gli stessi.
Stavolta usciva a fare il ballo perfino una negra. Era un
donnone nudo nudo, che saltava come un grillo. «Questa
va bene per Lubrani, – dissi subito, – chi sa se è lui che
l'ha arruolata». Ma le negre non sono mai nude abbastanza, è per questo che fanno quegli urli e quei salti. Hanno
una voce che spaventa e tocca il sangue. Ai romani piaceva
e volevano il bis.
Poi vedemmo Carletto, in platea. Gina gli disse che a-
spettava di sentirlo. Lui ci guardò con l'aria tonta e ci spiegò che la scrittura cominciava fra sei giorni. «Sta' a vedere,
– pensavo, – che la torre Littoria gliela fa un'altra volta».
Poi spuntarono gli altri e ci furono feste, saluti, risate.
Non mi sentivo mica a posto, in mezzo a tutte quelle facce.
Mi pareva di averci con me Gino Scarpa, la sua voce, il suo

ridere, e che in mezzo alla gente qualcuno sbucasse. – Si va
a cena? – ci disse Dorina.

Dove cenammo era famoso per porchetta e mozzarella.
Carletto rifece per noi qualche scena sintetica; era ancora
piú in gamba di un tempo, ma ci serviva un cameriere in
giacca bianca, e la cosa cambiava. Chi rideva da folle mor-
dendosi il pugno, era Gina; io capivo che, povera donna,
aveva ancora il batticuore per noi due, e per questo rideva
cosí da ubriaca. Non una volta in quei due giorni che si fosse lamentata.

Passò cosí tutta la sera, e ritornammo al Milvio in gruppo. Mi faceva un effetto trovarmi con loro, sentire le voci
e i discorsi d'un tempo; in quei due giorni eran successe
tante cose che mi pareva di non essere piú quello. Si diceva, si andava, si rideva cosí; potei perfino ricordarmi che
anche loro avevan fatto, che a sentire Luciano facevano ancora, ma capivo che c'era qualcosa tra noi, come un muro o
una siepe spinata. Potevamo parlarci soltanto per ridere, e
con Giulianella si scherzò dei fatti miei. Poi sul fatto del
Plaza giocai con Carletto e gli dissi che, passi venirmi a
cercare, ma portatmela a casa, volevo picchiarlo. – In questa storia ci sei sempre tu, – gli dicevo, – come mai? Sono
almeno partiti? – Lui mi disse di sí. Mi dispiacque.

Per un pezzo i compagni non si fecero vivi. Non sapevo
piú niente né dell'oste né degli altri. Se almeno Scarpa fosse stato ancora a Roma, potevamo incontrarci per caso. Certi giorni non ero tranquillo. Finí che mandai Pippo sull'Aurelia con dei pezzi, e gli dissi di fare attenzione chi c'era alle macchine. Mi mandarono a dire che stessi tranquillo.
C'era ancora pericolo e niente da fare.

Passai cosí gli ultimi giorni spensierati. Gina sentiva che
qualcosa era nell'aria. Diceva: – Che vuoi lavorare? Chiudi bottega e andiamo a prendere Dorina. Non vuoi goderli
questi giorni? – Tornammo a Ostia, alla pineta, a quelle
strade fuori porta. Anche noi due bastavamo a stare allegri. Era settembre, c'era un'aria come il vetro.

Ridiedi mano alla chitarra, e verso sera quando uscivo
mi pareva di averci le voglie di un tempo. Di quando andavo a godere in collina con Lario e Chelino. Quando tutto
doveva succedere e Amelio era al mondo. Non era passato
che un anno. Possibile?

– Sei contento di Roma? – diceva Carletto trottandomi
dietro. – Ci si sta bene in questo mondo, vecchio porco.

Giulianella diceva: — Sei quasi sposato. Hai la luna nel pozzo.

Io pensavo a quegli altri. Pensavo alla gente che stava in prigione. Pensavo ai morti e ai moribondi della terra. Cosa sarebbe questo mondo se l'avessimo già vinta. Ma chi sa, forse il bello è che dura un momento e che le cose non si possono cambiare.

Una notte ci prese un piovasco per la strada, quand'eravamo appena usciti dal teatro, e si dovette ripararci al primo buco. Come succede, queste cose mettono voglia di godere, e si càpita sempre nel posto piú adatto. Sembra d'essere tanti ragazzi. Tutta Roma tuonava e allagava, volavano foglie, non c'era un cane in quella tampa tranne noi. Bevemmo del vino; anche Gina beveva. Carletto fece un gran discorso contro il Fascio; il padrone, sbarrata la porta, ci aprí una bottiglia che teneva per quando quel giorno sarebbe venuto, e si mise a parlare anche lui. — Quando sento burrasca, — gridava, — mi sembra sempre che si sveglino le trombe. Verrà quel fulmine, verrà, su palazzo Venezia e sui cieli di Roma, e quel giorno vedremo la morte del topo...

Alla fine era sbronzo, ma non da lasciarci andar via al sereno senza pregarci e scongiurarci come figli che tacessimo, che fossimo umani, che perdessimo fin il ricordo di quelle bottiglie. Disse che lui, quando veniva il temporale, stralunava, ma per il resto la politica la fanno gli avventori. Per calmarlo Luciano gli disse: — Non sappiamo nemmeno la tua bottega dov'è.

Quella faccia dell'oste ci stette davanti, e Giulianella brontolava «Sarà poi cosí scemo?» Spaventammo Carletto. Gli dicemmo che l'oste l'aveva certamente veduto in teatro. Lui se ne stette un po' dubbioso, poi ci disse: — Era sincero. Chi gli ripaga le bottiglie che ha stappato?

Ci fu Gina che disse: — Tutti quanti eravate sinceri. Ma, se ha paura, vi denuncia lui per primo.

— A che punto è ridotta l'Italia, — mi disse Luciano. — Ci si denuncia per non esser denunciati.

Cosí, sotto casa, ricominciammo quel discorso, e chiedevano, insistevano che stessi con loro. — Da un giorno all'altro può succedere, — dicevano. — Lui è malato, sifilitico. Dobbiamo esser pronti per lo scatto finale. Dobbiamo mantenere i contatti. Se in quel punto la massa ci sfugge di mano, succede un macello.

— Può anche darsi, — dicevo, — e con questo?

– Ma non basta, – dicevano. – Non bisogna dar tempo alla guerra. Diventeremmo un'altra Spagna.

Li vedevo attraverso, come fossero vetro. In tutte quante le paure c'è un discorso proibito, un interesse che comanda e sta nascosto. Si difende la pelle, si difende la pace, queste cose si possono capire – succedono a tutti. Ma che quei due difendessero i denari dei borghesi, i denari che avevano fatto il fascismo – non potevo capirla. Glielo dissi ridendo.

Carletto disse che potevo aver ragione. Ma tornò sul discorso dello scatto finale. – È già successo, – mi diceva, – che s'è persa l'occasione. Una massa sfuggita di mano si fa decimare. Abbiamo visto dei massacri nella storia.

Volevano insomma parlare coi capi. Io risposi che i capi parlavano poco e queste cose le sapevano da un pezzo. – Vieni tu, – disse allora Luciano. – Parla tu con qualcuno.

Questo qualcuno era un signore occhiali d'oro e gilè bianco, che incontrammo davanti al teatro. Era lí con Giulianella e sembrava contento. Offrí a tutti un caffè, poi cianciammo. – Il Maggiore, – ci disse Luciano, – frequenta i concerti. Gli piacerebbe di sentire come suoni.

– Non è mica difficile, – dissi. – Basta che venga all'osteria qualche sera.

– Si va da Beppe, – disse lui, – si parla un po'.

Quel Maggiore era un uomo prudente. Parlò davvero di chitarre e violoncelli. Si fermava per strada ognitanto e diceva la sua. Noialtri intorno aspettavamo che finisse. Teneva a braccetto Giulianella e sembrava suo nonno.

Nel ristorante ci sedemmo in disparte. I tavolini avevano tutti una tovaglia e dei fiori. Non capivo il bisogno di ficcarci là dentro per bere un bicchiere. Ma tant'è, Carletto Giulianella Luciano ci stavano allegri.

Continuammo a parlare di musica. Il Maggiore faceva dei discorsi difficili. Mi guardava. Io guardavo Luciano.

Un bel momento fu Carletto che interruppe. Disse: – Veniamo all'argomento. Qui c'è Pablo che sa chi noi siamo. Lei, Maggiore, gli dica.

Allora il vecchio si appoggiò sulla poltrona. Mi guardò con gli occhiali piú lucidi. Cominciò a farmi i complimenti. Disse che gente come noi ce ne voleva. Che ce n'era ancor poca. Ch'eravamo dei santi. Ma la nostra magagna era stare nascosti. Perché non unire le nostre forze con quelle de-

gli altri italiani? Che cos'è che volevano gli altri italiani?
Farla finita coi violenti, coi cafoni, coi ladri, ritornare al rispetto di sé e alla legge, restaurare l'Italia e le sue libertà.

– Rovesciare il fascismo senza far altri danni, – interruppe Carletto.

Il Maggiore strizzò un occhio e riprese il discorso. Già
una volta, mi disse, s'era lasciata mano libera alle masse.
Risultato?

Io gli dissi che noi eravamo le masse, e il risultato lo sapevano i borghesi come lui.

Il Maggiore sorrise di nuovo. Disse che certo le radici
del fascismo sono vaste, ma che noi incutendo paura alla
gente gli davamo vigore. Dovevamo discutere e farci conoscere. Dovevamo impegnarci a un programma comune.
Questo, mi disse, avrebbe chiesto ai nostri capi, avvicinan-
doli.

Era un vecchio accidenti. Cominciavo ad accorgermene.
Furono loro questa volta a guardarmi aprir bocca. Vedo
ancora Giulianella che schiaccia la cicca, nervosa.

Dissi, cercando di star calmo, che da un pezzo si faceva
qualcosa. Che non io, ch'ero niente, ma i grossi passavano il
tempo a discutere. Che l'impegno comune doveva valere
per tutti. Ch'era inutile farsi l'illusione che i bei tempi tor-
nassero, e se noi facevamo paura c'era chi faceva pietà. Mi
divertí veder le facce quando dissi che da un pezzo si trattava.

Ma il Maggiore sorrise dubbioso. Disse che nulla è mai
fiorito fuori tempo e che in queste faccende ci vuole buon
senso. Intanto era lieto di avermi parlato e mi pregava di
pensarci e di parlarne. Ci propose di bere alle nostre speranze.

Per la chitarra ci vedemmo giorni dopo. Non piú da Beppe questa volta, ma sul terrazzo della casa di Luciano. Non
c'ero mai stato, e Giulianella ci mostrò di lassú mezza Roma. Il Maggiore ascoltò la chitarra, discusse con me, mi
spiegò che i partiti sono come le corde che fanno la musica.
Non si suona strappando le corde, si suona toccandole.

Ci vedemmo altre volte, a passeggio qua e là per Roma.
Gina mi chiese se i compagni erano morti. Non aveva una
faccia scontenta.

Non dispiaceva neanche a me tirare il fiato. Ma quel lungo silenzio era sempre peggio. Passai davanti a quella bet-

tola, e la vidi ancor chiusa. Era domenica. «Domattina, –
pensai, – faccio un salto sull'Aurelia». Non ebbi il tempo,
per fortuna. Mi arrestarono prima di giorno, pigliandomi a
letto.

XXI

Mi presero a letto e in mezz'ora buttarono in aria la casa. La Marina mi faceva degli occhi cosí. Io credevo che fosse per la storia di Scarpa e pensavo a Gina con gran voglia di ridere. «Meno male» dicevo. Poi scendemmo. La porta di Carletto era chiusa.

Pensai: «Quel merlo di Carletto se la dorme. Chi sa che spavento. Scapperanno in campagna». Ero tanto contento che Scarpa non fosse piú a Roma, che l'automobile arrivò sulla Lungara e scendemmo e mi misero dentro, e non avevo piú dato un'occhiata alla strada o alle nuvole. Ci pensai troppo tardi. Mi ricordai poi nella cella che sul ponte avevo visto una ragazza spettinata. Ci doveva esser vento, in quell'ora vuota. Dalla cella vedevo soltanto dei muri e il sereno.

Quando le guardie mi lasciarono tranquillo nella cella, mi doleva la bocca. Mi accorsi allora che per strada, negli uffici, sui registri, non avevo mai smesso la faccia da ridere, la smorfia di chi non gli succede niente di nuovo. Mi aspettavo dei pugni, del sangue, qualcosa. Invece tutti mi guardavano annoiati, come fosse al caffè. L'ultimo venne ch'ero in cella, aprí la spia e mi chiamò. «È la volta, – pensai, – me le ficca». Mi diede invece la gavetta, l'asciugamano, le posate e tutto il resto. Fui cosí stupido da chiedergli perché m'avevano preso. Quello nemmeno mi rispose e chiuse il buco.

Mi passò la giornata cosí, senza storie. C'era la branda, e mi distesi sulla branda. Stando disteso, vedevo un po' di cielo. La finestra era tutta inferriata e listelli di vetro per storto che non lasciavano guardare nel cortile. «Non si sta mica male, – pensavo, – basterebbe sapere se dura». Ogni tanto qualcuno picchiava alla spia – c'era il pane, la spesa, la conta, il bidone. «Purché duri» dicevo. Si poteva perfino comprarsi delle cicche.

Mi era rimasta una paura dal mattino: non aver tempo
di pensare alle risposte. Non poter regolarmi su quel che
sapevano. Se hanno preso anche Pippo, dicevo, è finita. Poi
dicevo: ma se mi hanno arrestato vuol dire che sanno.

Non è star chiusi, la prigione, è l'incertezza. Camminavo
su e giú per la cella. Mi venivano in mente i compagni, il
Maggiore, i discorsi di Scarpa. «Meno male che è come esser morti, – dicevo. – Quel matto».

Poi tornavo a distendermi e ci pensavo da principio.
Dunque Scarpa è scappato, dicevo. Sí o no? Oltre Giuseppe chi sapeva dove stavo? Mi venne in mente quella notte
che pioveva e l'oste sbronzo. Quella faccia da capra. Ma, se
mai, conosceva Carletto, e non me. Il Maggiore? Ma quello non si metteva di certo nei rischi. Mi venne freddo a
quest'idea che la colpa fosse mia. Se qualcuno di loro ha
parlato e hanno preso i compagni non mi resta che buttarmi nel Po.

Pensare al Po mi mise in mente che una volta c'ero andato per buttarmici davvero. Non piú tardi di marzo, per
via di quell'altra. Me la rividi nella strada, quella sera del
Plaza, che parlava di Amelio, irritata e cattiva. Ci pensai
d'improvviso che anche Amelio era dentro. «Questa volta,
– pensai, – siamo pace». Ero disteso sulla branda. Chiusi
gli occhi e dissi «Amelio».

Verso sera batterono i ferri. Cominciarono in celle lon-
tane. Un martellio che sembrava una canzone – si sentiva
una sbarra picchiar le inferriate, come fosse ammattita, cantare e picchiare, e rumori di chiavi e di porte. S'avvicinò
s'avvicinò; s'aprí la porta. Entrò una guardia e, mentre
un'altra mi diceva «Buona sera», quella andò alla finestra
e picchiò sulle sbarre, per lungo e per largo. Poi se ne andarono chiudendo con un colpo. Capii ch'era notte.

Che ci fosse qualcuno che pensasse a scappare, mi pareva
impossibile. Quella era come la campana della chiesa – ci
facevano un po' di baldoria per mandarci a dormire contenti. Rimasi in piedi, alla finestra, a fumar l'ultima, e attraverso i listelli guardavo il sereno. Da quella fetta mi pareva di
conoscer tutta Roma. Era l'ora che uscivo e andavamo nel
centro, l'ora che tutto s'accendeva, che la gente cenava, e
si ballava, si beveva, si suonava la chitarra. Chi sa Gina,
Luciano, Carletto e le donne, se si eran trovati. Purché Gina non fosse imprudente. Non le avevo nemmeno potuto
dir «Grazie». Ci pensai poco quella sera, ero ancor tutto

sbalordito. Poi s'accese la luce al soffitto, una luce cattiva, di quelle crude da ospedale. Una voce batté allo spioncino chiuso e mi disse: «Si dorme».

Se dormii non lo so. Mi aspettavo venissero per farmi parlare. Pensavo sempre che di notte ci picchiassero, e stavo attento se qualcosa succedeva. Pensavo alle storie di Germania e di Spagna; dicevo: «Coi rossi non hanno rispetto». Un bel momento mi svegliai, toccavan l'uscio. Non feci a tempo, che la guardia già richiudeva – era la ronda.

Venne il mattino, e a poco a poco si schiarirono i listelli. Tutta la notte m'ero mosso sulla branda; mi sentivo le anche scassate, la testa pesante. Ma non avevo aperto gli occhi, che già pensavo alle risposte.

Suonò una campana per farci svegliare. Venne il caffè, il bidone d'acqua. Poi passarono a battere i ferri. Qualcuno mi disse: «C'è un pacco per voi». Venne il pacco: era roba di casa, e sul foglio il mio nome e cognome di mano di Gina.

Sono cose che fanno coraggio – era come parlarle. Fumai la prima sigaretta in allegria; camminai. Mentre andavo e venivo – cinque in su cinque in giú – mi venne in mente che qualcuno non poteva camminare e l'avevano portato in prigione in barella. Anche questo mi diede coraggio e guardavo le sbarre. «Se ci sono è perché l'ho voluto» pensai.

Vennero a dirmi che potevo andare all'aria una mezz'ora. Scesi scale e passai corridoi. Mi portarono sopra un cemento, nel cortile, e mi chiusero a chiave. Si vedeva una fetta di cielo, alto alto.

Cosí passò il secondo giorno e niente fu. Poi la notte e scopersi le cimici. Poi di nuovo il mattino e di nuovo il passeggio. Pensavo sempre alle risposte, e non sapevo. Poi la notte e mi vennero in mente quei libri del Biondo. «Che sia tutto per questo? Sarebbe da matti». Mi arrivò un altro pacco. Mi vennero a chiedere di scrivere a casa. – Non ho casa. – Scrivete a un amico.

– Faccio conto di andarmene.
– Non avete una donna?
– Si scrive alle donne?
– Potete fare domandina al direttore.
– Faccio conto di andarmene.

Tutte le sere l'indomani era quel giorno. C'eran cinque cancelli fra me e la Lungara. Toccava a loro aprirli tutti,

uno per uno. M'immaginavo che si fossero sbagliati; che mi
avessero preso per un altro – per Carletto magari: un bel
momento mi chiamavano e m'aprivano i cancelli. Cominciavo a fissarmi su sciocchezze cosí: un negozio di frutta, un
bicchiere di birra. Cosa avrei dato per avere un lavoraccio
anche sporco – il facchino magari, gli altiforni di Cogne, il
marinaio che gli tocca la burrasca. Poter muovermi, dire la
mia, non pensar sempre alle domande e alle risposte. Mi ricordavo la ragazza spettinata sul ponte, m'inventavo che
cosa facesse in quell'ora, a che cosa pensava, di dove veniva. Mi mettevo su un passaggio, il Flaminio, il Tritone – e
vedevo la gente, conoscevo le facce, mi pareva di aver sempre sprecato i momenti piú belli. «Proprio a Roma doveva
toccarmi» dicevo. Facevo conto di esser come un ammalato, di aspettare il dottore, di non potere piú levarmi dalla
branda. Suonavo muovendo le dita a memoria; inventavo
dei pezzi. Certi giorni, pensavo di essere solo un ragazzo,
uno scemo; di aver fatto soltanto sciocchezze e che tutti ri-
dessero. Ma c'era Gina che sicuro non rideva, e pensavo al
negozio, a Solino, ai cantieri del ponte. «Sono un povero
scemo, – dicevo, – era meglio suonar la chitarra e restare
dov'ero».

Eppure il giorno che mi presero e portarono in questura,
diedi prima un'occhiata alla cella. M'aveva preso un batticuore da non dire. Piú che paura era una voglia di star solo
e non vederli. Traversammo i cancelli, ci fermammo al registro; dalle finestre si vedevano le piante sopra il Tevere.
Uscendo mi tennero il braccio. Io mi accorsi di fare quella
faccia svogliata.

In questura aspettavano dietro un tavolo e parlarono loro. Prima il nome e cognome, e mio padre, e la classe e se
avevo condanne. Poi di dove venivo e che cosa facevo e da
quando ero a Roma. Poi dov'è che passavo la sera e cos'era
quel libro.

Me lo diedero. Il libro del Biondo.

«Anche Gina» pensai. Stavo per dire ch'era roba del negozio, ma mi tenni. Feci passare qualche foglio e leggevo,
e pensavo che Gina non poteva esser dentro, che mi aveva
mandato quei pacchi, che lei non c'entrava. «Carogne, –
pensavo, – da lei sono stati».

– Da dove viene? – dissi piano.

– Devi dircelo tu.

Io pensavo a Carletto e alla gobba. L'avrei preso a calci.

– Io non leggo nei libri, – dissi. – Leggo appena il giornale.

Uno disse: – Al teatro ci vai?

– Quando càpita, – dissi.

– La conosci Giulianella?

– Conosco Carletto. Uno gobbo. Ho suonato con lui che cantava.

– Quando e dove?

Allora parlai di Lubrani. Parlai di Torino. Ci diedi dentro fin che dissero di smetterla.

– Lo conosci il Maggiore?

– Il Maggiore?

Dissi che andavo all'Argentina per cenare con Carletto e sua moglie. Portavo a volte la chitarra. Lavoravo di giorno e la sera cenavo. Di molta gente non sapevo il nome. Quel Maggiore era un tale che viveva in platea.

– Parla chiaro, – mi dissero, – com'è che sei venuto a Roma? Sei ciclista o che cosa?

Feci una faccia e li guardai.

– Non ci stavi piú bene a Torino?

Li guardai.

– Chi ti ha dato quel libro?

– Non è mio.

– Te l'ha dato il Maggiore?

– Non sapevo di averlo.

Allora un tale mi pigliò per una spalla. Mi arrivò un pugno sull'orecchio. Quello seduto continuava: – Lo sapevi?

– Mai visto, – risposi guardandolo.

Sentivo sempre quella mano sulla spalla. L'altro mi disse, e aprí un cassetto: – C'è una lettera.

Me la diede. Era Gina.

– Puoi leggere, – disse.

– Lei non c'entra, – gli dissi.

Gina scriveva che sperava di vedermi presto presto e se avevo bisogno di roba e di soldi. Nella bottega andava bene e pregassi il Signore. «Ti penso sempre» concludeva.

Sentivo sempre quella mano sulla spalla. Uno mi disse:
– Vuoi fumare?

– Noi vogliamo sapere, – riprese quell'altro, – quel che facevano il Maggiore e quella gente. Non ti hanno mai detto di trovarti con loro, di portare dei pacchi, di andare in campagna?

– No.

– Quei tuoi amici sono tutti sovversivi. Lo sapevi?

– No.

– Di che cosa parlavi con loro?

– Di sciocchezze.

– Eppure Giulianella ti accusa di averli aiutati. Sei iscritto al partito fascista?

– No.

Si mise a ridere. Quella mano mi strinse la spalla.

– Quest'è la prima verità che hai detto. Ti abbiamo preso appena a tempo. Fottevi soltanto Giulianella o anche l'altra?

Mi arrivò un altro pugno. – Perché Giulianella la fotteva anche il Maggiore, non lo sai? Te l'ha pagato Giulianella il viaggio a Roma?

Dissi: – Giulianella cosa c'entra?

– Lo sai tu.

Quando si furono sfogati, scrissero tutto sopra un foglio. Me lo lessero e dissero: – Firma –. Gli diedi ancora un'altra occhiata: c'era soltanto dove avevo conosciuto questo e quello. Dei compagni, nessuno. Firmai.

Tornammo in tassí alla Lungara. Mi ero giurato «Per la strada guardo Roma e la gente e i caffè», ma anche stavolta ci pensai soltanto in cella. «Non han preso i compagni, – dicevo, – che bestie».

XXII.

Scrissi a Gina che stesse tranquilla perché le cose s'aggiustavano. Che poveretti i nostri amici non ci avevano piú colpa di me e consolasse Dorina. Che non si può tenere dentro chi è innocente.

La sera battevano i ferri, e pensavo a quei quattro. Chi sa se anche loro dicevano: «Vanno da Pablo». Quando il frastuono cominciava mi mettevo all'inferriata e ascoltavo gli squilli passare di cella e dicevo: «Ora tocca a Carletto, ora tocca a Giulianella». Non potevo pensare che anche lei fosse passata in questura, che qualcuno l'avesse battuta. Figurarsi se fosse per Scarpa, dicevo. Mi ricordai di quella volta di Luciano e lo capii. Non sono cose che si dicono a nessuno.

Poveretto Luciano, tornarci in quel modo. Capivo adesso che cos'è stare in prigione. Pensi sempre a qualcosa e non osi pensarlo. Le risposte le hai date, le botte le hai prese, che cos'altro ti tengono a fare?

Mattino e sera mi mettevo all'inferriata. M'era tornato in mente Milo e quelle corse sopra i camion. Girare adesso sulle strade e fermarsi dovunque, doveva esser bello. Di tutto quanto il mondo libero godevo quel pezzetto di sereno. Certe volte pensavo «Lasciatemi uscire. Faccio un giro sul Tevere e ritorno. Lo giuro». Dicevo sul serio. Ero dentro da un mese. Come siamo, pensavo, so che i compagni sono fuori e non mi basta. Stavo peggio la sera. La mattina dicevo: «Sarà per quest'oggi».

E invece successe di sera, nel battere i ferri. Entran le guardie, fan la loro suonatina; poi il capo mi dice: – Prendete la roba.

Non capivo. – Prendete, – mi dice, – fate la roba e si esce fuori a libertà.

Al registro mi diedero a un tale in borghese, una faccia da napoli, che mi disse: – Venite –. Andammo in questura in tassí.

Quando uscii solo, sulla piazza, era ancor giorno. Camminavo schivando la gente. Sentivo parlare. Guardavo quell'aria dorata di vetro, camminavo e rilessi i fogli. Entro due giorni presentarmi alla questura di Torino. Il biglietto pagato. Sorveglianza speciale.

Non potevo star fuori dopo il tramonto. Allora andai col mio fagotto all'osteria a ber la birra. Quando uscii mi chiamarono indietro, dovevo pagare.

Sul ponte Milvio mi fermai guardando i colli. Era sempre la stessa anche Roma. L'acqua correva piano piano sotto il cielo. Da quella parte che pareva Sassi, si vedevano i travi del ponte in cantiere, e ogni cosa era limpida, calda. «A Torino si leva la nebbia a quest'ora, – dicevo, – tra la collina e la montagna». Piano piano mi mossi. Sapevo bene che un piacere dura poco.

Entrai nel negozio dicendo: – Padrona –. Vidi Gina guardarmi. Non aveva la tuta. Mi corse incontro come fosse una bambina.

Quando fu buio non potevo piú restare. Allora andammo a casa insieme e la Marina mi chiamò dalla finestra. Sulla scala trovammo frenetiche Dorina e la vecchia, e cenammo con loro. Dissi a Dorina tutto quanto ne sapevo, e lei che aveva gli occhi pesti non piangeva: continuava a ripetere che Carletto doveva uscir fuori. – Vedrai che la gobba gli porta fortuna, – diceva Marina, – gliel'ha portata già una volta.

– Ma insomma che cosa facevano? – dissi.

Non fu possibile saperlo. Dorina era tanto convinta che Carletto doveva uscir fuori, che negava perfino che vedesse il Maggiore. Gina mi disse nella notte che a Carletto gli avevano trovato i giornali e che il Maggiore era saltato dal balcone in camiciola.

– Te l'ha detto Fabrizio?

Lei rise. – Me l'ha detto Giuseppe. È venuto a cercarti. Sanno tutto, i compagni.

Da due giorni sapeva perfino che, se uscivo, mi avrebbero dato quel foglio. – Ma non mi posso rassegnare, – disse, – devi davvero andare a casa?

Venne il mattino, e la Marina ci fece l'ultimo caffè. Si ricordò di quell'immagine e mi disse, in presenza di Gina: – Ti ha fatto la grazia, la Madonna. Sei stato malato.

– Che grazia? – fa Gina.

La Marina levò gli occhi al cielo. – Tu taci, – le disse.
– Anche tu ne hai bisogno.

Cosí facemmo la valigia e Dorina ci vide partire. – Che
pena, – mi disse, – vederti andar solo.

– Dispiace anche a me. Ma son sicuro che vi trovo al
Mascherino quest'altr'anno.

– Non tutti, – lei disse. – Giulianella la paga.

Io e Gina tornammo al negozio. Partivo la sera. Mentre
fumavo sulla porta vedo Pippo scappar via. – Dove va?

– Verrà Giuseppe, – disse lei. – Vuole parlarti.

Lo disse cosí come niente.

– Sei matta?

Allora Gina alzò le spalle: – È il tuo lavoro.

– Una volta pensavi diverso.

– È un destino cosí, – disse lei.

Poi quando Pippo fu tornato, andai con lei nell'osteria.
– Vuoi venire a Torino? – le dissi.

Mi guardò con quegli occhi chinati. – Ci vengo.

Mangiammo insieme e discutemmo del negozio. – Fatti
aiutare da Giuseppe. Vendete, e tu vieni a Torino.

Giuseppe arrivò verso l'una. Della Lungara non parlò
gran che. – Si temeva, – mi disse, – che ti avessero visto.
Fosse sempre cosí.

Poi mi disse chi c'era a Torino. – Tu vedili, – disse, – noi
intanto mandiamo qualcuno. Non bisogna fidarsi.

Gli parlai del negozio e lui disse: – Va bene.

Una cosa voleva sapere, se col Maggiore eran caduti tutti i suoi. – Dietro lui c'è qualcuno, – mi disse. – Interessa
tenere i contatti.

– Non concludono mica.

– Non si sa, – disse lui, – sono forze.

Mi disse poi che Gino Scarpa era in Toscana e se ne
andò.

Quel giorno Gina volle chiudere il negozio. Misi via la
chitarra, ma prima suonai. Gina ascoltò e mi disse: – Andiamo in quella bettola –. Voleva dire quella strada in campagna, dov'eravamo andati insieme con gli altri, la prima
volta, quella sera all'aperto. La presi in canna e traversammo Roma. Mi faceva un effetto curioso vedere le strade.
Tra la prigione e che partivo quella sera, mi sembrava una
nuova città, la piú bella del mondo, dove la gente non capisce che è contenta. Come quando uno pensa che è stato
bambino e dice: «L'avessi saputo. Potevo giocare». Ma se

qualcuno ti dicesse: «Puoi giocare», non sapresti nemmeno com'è che si comincia. Ero già un altro, staccato e contento. Guardavo le bettole, le piante nere, i palazzi, le pietre vecchie e quelle nuove – e capivo che un sole cosí non si vede due volte. Quanta frutta vendevano a Roma. Quei verdi, quei rossi, quei gialli sui banchi, erano loro il colore del sole. Mi venne in mente che a Torino avrei mangiato della frutta e sentito il sapore di Roma cosí.

Arrivammo sul posto. Gina mi disse: – Quante cose vorrei fare.

– Sai com'è, – dissi allora. – Non si ha mai tempo, è come in cella. Uno dice: «Quando esco mi voglio sfogare. Voglio fare le cose piú matte». Ma quando esci fuori e puoi tutto, fai sempre soltanto le cose di prima.

– Vorrei che fosse il primo giorno. Quando dovevi ancor venire.

– Domani sarà come dici.

– Che spavento. Tu a Roma sei venuto per caso.

– Non è questo che conta. Le cose succedono. Basta volere veramente quel che fai.

Eravamo seduti all'aperto, nel sole.

– Sono poche le cose che voglio, – le dissi. – Meno ancora di prima.

– Scarpa diceva che in prigione è come i morti, – disse lei, – fa paura pensarci.

– Non devi pensarci.

Poi le dissi: – Ci sono anche i morti. Tutto sta tener duro e sapere il perché.

Restammo un pezzo in quella bettola, bevendo. Gina giocava con la griglia e guardava nel sole. Gli uccelli volavano bassi. Venne un gatto e saltò sopra il tavolo. Anche Gina se ne stava aggobbita e raccolta.

Parlammo ancora di Torino e della casa. Lei mi parlò di Carlottina e di mia madre. – Le vedrò quando vengo a Torino? – diceva.

Tornammo a piedi, verso sera. C'era un sole d'oro fra le pietre e le piante. Era l'ora che in carcere battono i ferri. Raccontai a Gina di Amelio. Lei stette a sentire, tenendomi il braccio.

– Verrà a Roma, – le dissi, – verrà anche lui. Come gli altri.

Poi ci lasciammo sulla porta del negozio. Era già notte.

Assonanze

Fedeltà (1938) di Cesare Pavese, in *Racconti*, Einaudi, 1953.

I.

Quando Amelio venne portato a casa dall'ospedale e posato sul letto, gli altri smisero di andarlo a trovare, ma Garofolo cominciò allora. Prima non s'era deciso perché, quantunque Amelio all'ospedale fosse entrato sporco piú di benzina che di sangue, dicevano che su quel letto nel sangue ci dormiva, ingessato e legato come un gabbione di cemento. Garofolo aveva visto la motocicletta e ne aveva avuto abbastanza.

Ma ora che Amelio era condannato a non muoversi piú, Garofolo sentí il bisogno di fargli compagnia e aiutarlo come poteva. Gli avevano detto che, quando all'ospedale gli mettevano in bocca la sigaretta e gliel'accendevano, Amelio chiudeva gli occhi come un bambino. Salí con le tasche piene di sigarette, ma Amelio gli parve tutt'altro che umiliato: guardava invece negli occhi come se uno non ci fosse. Che faccia avesse prima, Garofolo non riusciva a ricordare, ma gli ossi della mascella e della tempia facevano cavità nerastre che dicevano quanto avesse urlato e stretto i denti.

Farlo parlare, a Garofolo era sempre riuscito difficile. Mentre fumavano, Garofolo lasciò andare un sorriso, che finí in una smorfia.

– Che c'è da ridere?

– Rido di Masino.

– Non so.

– Ha voluto provare anche lui. Suo padre smontava una moto; lui tutto quello che vede, salta sopra; una volta partito, gli resta in mano il manubrio. Adesso gli tocca pagarla.

– Ignoranti, – disse Amelio. – Non sanno neanche andare in bicicletta e vogliono fare i meccanici.

Faceva un mattino fresco, con un po' di nebbia chiara: una gran luce fredda empiva i vetri. Amelio era disteso sul sofà della cucina fra le lenzuola che traboccavano a terra. Aveva scoperto il petto peloso di un biondo piú pallido dei capelli e, poggiato sui gomiti, si grattava un capezzolo.

– Mi pare che aspetti qualcuno, – disse Garofolo. Andò a spalancare i vetri. – Non si sente nemmeno la strada, – disse, – si sta bene quassú –. Voltandosi vide la faccia tesa di Amelio rovesciato supino e la schiena arcuata sui gomiti. Teneva gli occhi chiusi e respirava.

Garofolo prima di salire aveva aspettato che la madre di Amelio passasse davanti alla tabaccheria. Ci passava tutte le mattine per andare alla spesa e non bisognava lasciarsi prendere perché tutti le servivano da sfogo e aveva un modo di parlare cosí astioso, che si capiva come il marito invece stesse zitto. Poveretto, sua moglie era stata una bella donna, e si vede che in quel figlio violento e ben piantato lui ci aveva messo tutta la sua forza e non doveva essergli parso vero di esser riuscito a tanto. Garofolo pensava che dei due lui soffrisse di piú; perché, se davvero quella donna era stata bella e robusta come dicevano, un giovanotto come Amelio non doveva esserle parso, come al marito, un miracolo.

Il vecchio faceva pietà. Era passato giorni prima dalla tabaccheria – non piú ogni sera come un tempo – a prendere un mezzo toscano e aveva cercato nella scatola a testa china, con una meticolosità distratta, brontolando a fior di denti tra i baffi, cascanti e ingialliti come fosse anche lui paralizzato.

– E Natalina? – disse Garofolo.

Stavolta la smorfia la fece Amelio.

– Fa freddo, – disse.

Quando Garofolo tornò dalla finestra, vide che Amelio rideva scoprendo i denti come quando era abbronzato dal sole.

– Le donne sono tutte cosí: finché va, va... Ma io vado ancora.

Garofolo sorrise.

– È venuta a trovarti?

– Viene stamattina.

Garofolo si alzò in piedi.

– È per questo che l'aspetti a letto, – disse ridendo.

Una volta in strada, Garofolo si sentí felice. Amelio insomma stava meglio di lui. Ecco quel che vuol dire sapersi fare una ragazza: tiene compagnia e si gode. Sotto il sole e le foglie secche Garofolo attraversò il viale e davanti alla tabaccheria si voltò alle gambe svelte di una che passava, invidiando Amelio.

Aver voglia di discorrere, il lavoro lo facevano gli av-

ventori che buttavano i soldi sul banco e si palpavano loro
i pacchetti o i sigari. Poi c'era la mamma che pensava ai francobolli e al sale. Un negozio che andava da sé. Garofolo pensava che, se fossero stati piú in grande, suo padre avrebbe
potuto prendere anche Amelio che lavorare doveva. Quando però lassú si decidessero a comprargli il carrozzino e scendere al pianterreno. Ma avrebbe potuto un carrozzino girare dietro il banco?

Ecco entrarsene all'una Natalina, senza cappello e profu-
mata, e guardare di cattivo umore Garofolo accorso dal retro. Natalina veniva di rado – aveva il tabaccaio davanti al
laboratorio – ma sapeva che Garofolo era amico di Amelio
e prima della disgrazia era anche entrata qualche volta con
Amelio.

– Faceva fresco stamattina, – disse Garofolo. – Si stava
bene nel letto.

Natalina levò gli occhi tra i capelli e fece quella smorfia
ridendo. Garofolo aprí il banco e prese le boccette in vetrina. Mentre annusavano, si spargeva piú fino e piú caldo il
sentore bruno di lei.

Dopo la Colonia, la violetta; dopo la violetta, il «Notturno». Natalina aveva fretta e non trovava il suo gusto.

– Ho una fame, – disse, – che non ci vedo piú. Passerò un
altro giorno.

II.

La sera Garofolo era ancora contento e andò al biliardo.
C'era Masino, con la testa fasciata, che aspettava qualcuno
per lagnarsi.

– Come va? – disse Garofolo.

– Male.

– Vai, che sta peggio la motocicletta.

– Bisogna saper cadere, – disse Masino. Entrò nel discorso il padrone che portava un caffè: – Bisogna imparare a
star dritti.

– Se non facevo la pallottola, mi rompevo la schiena, –
disse Masino punto sul vivo. Si fermò. – Come Amelio.

Tacquero tutti e tre un istante.

– Amelio sta bene adesso, – disse Garofolo. – Pensa già
alle ragazze.

– Ah sí? – disse il padrone, – non gli dà disturbi? Non
avrei mai creduto. Ebbene, può essere contento.

– E le gambe? – interruppe Masino.

– Come fossero secche. Toccata la spina dorsale, è saltata la valvola. I comandi sono lí.

Riprese il padrone: – Pazienza, pazienza, ma almeno salvarsi le gambe senz'osso. Sono proprio contento, perché se lo merita. Ne aveva bisogno. È un miracolo che non càpita a tutti. Ti fa fatto vedere?

Garofolo sorrise. – Non a me.

Garofolo pensava che nella cucina di Amelio doveva esser rimasta quella traccia di profumo. Chi sa se, tornando padre e madre, Amelio si era trasportato con Natalina sul seggiolone della stanza da letto. Tanto facevano come gli sposi e non era Amelio quello che avesse soggezione.

Amelio con Natalina aveva sempre comandato. Bastava pensare come la lasciava sull'uscio quando entrava a comprare le sigarette e, quando usciva, lei correva a prendergli il braccio. E per strada, se incontravano qualcuno, Amelio si fermava a parlare come fosse solo. Una sera Masino e Garofolo l'avevano voluta far ballare e, a metà ballo con Masino, Natalina aveva detto *pardòn* scappando all'ingresso dove Amelio l'aspettava. Non c'era ora che non li trovassero in giro, e alla domenica partivano in motocicletta.

Garofolo cercò diverse volte d'indurre suo padre a prendere Amelio in tabaccheria, ma il padre non ascoltava nemmeno e fu la mamma che, una volta per tutte, gli disse chiaro di non fare sciocchezze. Difatti neanche lui non ci pensava veramente. «Non può nemmeno scendere le scale». Eppure Garofolo pensava che qualcosa si sarebbe fatto se la disgrazia fosse capitata in famiglia, o se i vecchi d'Amelio avessero avuto una tabaccheria.

Ma le disgrazie non vengono mai giuste. Che vita doveva fare ad Amelio e alla sua ragazza quella vecchiaccia che adesso si litigava con tutti? Garofolo non ritornò l'indomani a trovare Amelio, un po' per non legarsi troppo e un po' perché non sapeva se la vecchia era uscita.

Ritornò un pomeriggio che il profumo era ormai ben svanito: la cucina sapeva di piedi e d'umido. C'era poca luce – fuori piovigginava – e Amelio quel giorno non l'avevano alzato: la porta era aperta.

Amelio aveva una barba di molti giorni e prima cosa chiese da fumare. Stava appoggiato al muro freddo, seduto sotto le coperte.

– Quando cambiate casa?

Si sapeva che fino a primavera non sarebbero traslocati, ma era tanto per chiedere.

Amelio fumava, occhi chiusi.

– Ieri sera al cinema si sono picchiati, – disse Garofolo. – C'era uno che metteva una mano sul buco e faceva le ombre. Hanno fischiato, poi si è sentito gridare una donna e l'hanno tirata fuori dei soldati che sembrava morta. Aveva una calza strappata, ma quando è rinvenuta si è visto che era gobba. Gobba come una strega. Che gente c'è però: mettersi con le gobbe!

– Allo scuro, – disse Amelio, – vanno tutte bene.

– Non ti alzi? – chiese Garofolo.

– Come faccio? – disse Amelio, e aprí gli occhi. – Ci vuole uno pratico, a portarmi. Tanto è lo stesso.

– Dove ti mettono?

– Di là sul seggiolone.

– E tuo padre?

– Tira avanti come può. Gli ultimi soldi glieli hanno succhiati per farmi la cura elettrica. Non sono mica una dinamo.

– Che cura fai adesso?

Amelio alzò le spalle. Garofolo gli chiese se voleva giocare alle carte. Trasse di tasca il mazzo – erano già umide – e con cautela si sedette sul sofà. Mentre distribuiva sulla coperta una briscola, disse gioviale: – Bisognerebbe essere in quattro –. E poi, posando il mazzo:

– Come va Natalina?

Amelio succhiellava e non rispose. Cominciarono a giocare in silenzio. Mani e faccia ossute di Amelio parevano assorte. Garofolo vinceva, ma senza interesse non c'era gusto. Finita la mano, nessuno contò i punti e lasciarono stare. Scivolarono a terra delle carte.

Gli occhi di Amelio brillarono: pareva avesse la febbre. A un tratto contorse le labbra e cacciò un sospiro subito rattenuto.

– Sono stufo di stare qua dentro, – piagnucolò sommesso. A Garofolo parve di sentire un bambino. Piegandosi a raccogliere le carte, balbettò: – Pensa a rimetterti in forze, sei smorto. Con la bella stagione usciremo.

– Finché starò qua dentro come una pianta in cantina, avrò questa faccia. Lo sono già, in forze. Starei meglio se non lo fossi.

– Perché non apri mai? – chiese Garofolo.

– Poi si gela, e chi chiude?

– C'è tua mamma.

Garofolo, appoggiato al muro, sorrise.

– Quella ha solo paura che qualcuno mi porti da bere.
Annusa anche l'aria. Tiene il fiasco sotto chiave.

– Vuoi che te ne porti io? – disse Garofolo.

Amelio alzò le spalle. – Da fumare, piuttosto. Da fumare.
Poi, se ce n'è, da bere.

– Sí, ma devi guardarti, – disse Garofolo alzandosi. –
Qualunque disordine ti può far male –. Parlava con gli occhi altrove.

– Te ne vai? – disse Amelio.

– Me ne vado prima che torni la vecchia –. Gli posò i tre
pacchetti sul cuscino.

Amelio lo lasciò giungere alla porta, poi chiamò: – Non
vuoi vedermele le gambe?

Garofolo voltandosi lo vide disteso nel letto, le lenzuola
sino ai piedi, la camicia sul ventre. Dovette avvicinarsi. Le
gambe ossute forti erano degne di Amelio. Solo le cosce di-
magrendo s'erano fatte arcuate e bianco-sudice sotto il pelo.
Amelio si torse per mostrarle con la mano.

– Non sembrano sane? – disse.

III.

Tornando a casa, Garofolo si fermava sul marciapiede.
Non capiva perché Amelio gli avesse fatto vedere le gambe.
Nel ricordo immaginava invece bianco e sodo il corpo di
Natalina.

A ripensarci, le gambe d'Amelio gli facevano senso non
per la paralisi, ma perché rivedeva verso l'alto delle cosce la
peluria infoltirsi in una selva rossigna.

– Dovremmo andare nudi, per abituarci.

Era strano che un uomo gli facesse piú effetto delle donne. Ma si chetò, accorgendosi che in realtà pensava a Natalina.

L'indomani in bottega, tanti ne entravano tanti alzava gli
occhi. Sarebbe tornata? Non si può comandare ai pensieri.

Entrò invece il padre di Amelio, con gli occhi rossi, e gli
chiese un toscano. Allora Garofolo si ricordò ch'era domenica.

– Sta bene Amelio? – chiese affabile.

Il vecchio lo guardò di sotto in su, gli tremarono i baffi, e rispose come non aveva mai risposto. – Crepare dovrebbe –. Poi si pulí la bocca.

Garofolo cascò dalle nuvole. Ma il vecchio non aveva finito. – Poteva crepare in fabbrica e buscarsi l'indennità d'infortunio; non fare quel volo da stupido... chi gliel'aveva detto di passare i novanta?... Hanno vent'anni e si credono... non pensano a chi ne ha sessanta...

Era ubriaco e se ne andò. Garofolo sapeva che sua madre nel retro era stata a sentire, tralasciando per un momento, soddisfatta, di sbucciare le patate. Non osò voltarsi.

Natalina la rivide perché andò dalle sue parti a cercarla. Quando scorse sul marciapiede la sua stretta sottana, si fece avanti fissandola, la percorse con gli occhi e ammiccò. Gli bastava averla guardata ripensando al comune segreto. Natalina sorridente fece l'atto di fermarsi.

Ricordandola al braccio d'Amelio, Garofolo non si stupí. Si appoggiò al muro e le chiese perché non tornava in tabaccheria.

Natalina lo fissò divertita e gli rispose che non aveva bisogno di niente. Garofolo cambiò discorso, per non fare il piazzista. Le chiese come mai passava sola la domenica. Natalina s'imbronciò come una bimba, poi disse riprendendo a camminare: – Non posso fidarmi di nessuno: sono tutti sfacciati con me...

– Anch'io? – disse Garofolo, parandosi la guancia. Natalina fece un sorriso. – Oh, noi ci conosciamo.

La sera andarono al cinema in galleria, e Garofolo si vergognava di averla cercata per guardarle le gambe. Natalina aveva un modo cosí assennato di parlare, che Garofolo trasecolava ricordando le occhiate impertinenti che, aggrappata al braccio d'Amelio, aveva un tempo lanciato ai passanti che la guardavano. Non osò parlargliene ma capí che tutto nasceva dalla disgrazia. Pensava che, tenendole compagnia in quel modo, la sorvegliava per Amelio e gli faceva un favore. Pure, l'indomani che salí a trovarlo non osò dirgli nulla perché c'era la madre in cucina e non poté nemmeno dargli la bottiglia che aveva nella tasca del soprabito. Fumarono una sigaretta, e se ne andò.

Natalina ne aveva bisogno di essere sorvegliata. – Bravo, bravo, – gli disse un giorno Masino che li incontrò a braccetto, e le diede un'occhiata che non gli piacque niente. Natalina sorrise.

Garofolo s'abituò presto al braccio caldo di Natalina e alle parole misurate che si scambiavano scherzando. Parlavano dei tempi passati quando Natalina era tutta per Amelio, ne parlavano come di una cosa divertente e molto lontana. Poi c'era stata la disgrazia. La prima volta che Garofolo alluse allo stato presente di Amelio, Natalina gli serrò la mano, contrasse il viso e gli disse: – Ci penso già sempre. Non parliamone –. Garofolo le colse un lampo nello sguardo, che non era assennato, e capí di non contare proprio nulla. Ma Natalina si strinse a lui e gli disse: – Stiamo insieme! – Presero cosí l'abitudine di stringersi qualche volta camminando, purché non ci fosse nessuno.

Passavano intanto i giorni, ormai nevicava o faceva nebbia, e si stava bene al cinematografo. Garofolo ne trovò uno fuori mano, che piacque a Natalina.

Natalina aveva rimorso per quella povera ragazza cui rubava la compagnia: Garofolo negava ridendo.

Non aveva rimorsi, Garofolo. Era contento di uscire con una ragazza come Natalina che capiva tutto al volo e gli dava confidenza. Natalina era sveglia e che fosse anche esperta si vedeva dalla smorfia che faceva ogni volta che nel discorso veniva fuori quel quinto piano. Garofolo invidiava Amelio, era naturale: l'odore e i gesti di Natalina gli tormentavano il sangue; ma poi, non si deve cercare le donne solo perché sotto i vestiti sono nude.

– Dovremmo farci veder meno, – diceva Natalina, – trovarci soltanto al caffè. La gente sa che sei amico di Amelio e fa presto a pensar male.

Anche questo era giusto. Decisero di non dire ad Amelio che si vedevano, perché Amelio sempre solo e inchiodato nel letto poteva fare qualche storia.

IV.

– Ieri ho veduto Amelio e abbiamo giocato alle carte, – le disse una sera. – Gli ho portato da bere. È straordinario. Nemmeno da bevuto ha parlato di te.

– E perché doveva parlarne? – disse Natalina aggrottandosi.

Garofolo non seppe che rispondere.

– Avete tutti questo vizio, voi ragazzi, – continuò Natalina, – parlare, parlare. Che bisogno ce n'è?

– Ma... dicevo che Amelio non ha parlato...

– Vuol dire che ha la testa sul collo. Fa' lo stesso anche tu.

Sovente Garofolo pensava come sarebbero andate le cose se lui fosse stato al posto d'Amelio e Amelio al suo. E capiva ch'era stupido pensarci, perché al suo posto Amelio avrebbe avuto Natalina e non sarebbe successo niente. Ma lui almeno che stava al pianterreno avrebbe potuto uscire.

Amelio invece non usciva ancora. Salí a trovarlo una mattina, ch'era tornato un po' di sole. Mentre aspettava nel viale che la madre scendesse, ventilava di chiedere ad Amelio se Natalina anche con lui aveva degli scatti cosí irragionevoli. «Poveretto, non facciamo disastri», si disse e intanto la vecchia, data una brutta occhiata all'ingiro, uscí dal portone.

Trovò Amelio nella cucina squallida intento a sorbire, imbacuccato d'un mantello, un tazzone di latte. Si salutarono con un cenno.

Bevuto il latte, Amelio rosicchiò un po' di pane inzuppato in un piatto di minestra fredda. Masticò adagio, posò il piatto sul tavolo e s'abbandonò sul sofà.

– Hai veduto qualcuno?

Amelio alzò le spalle e, torcendosi sulla vita, tese una mano dalle coperte. – Dammi il pappagallo –. Prese il pappagallo tra le dita ossute e se lo cacciò sotto le lenzuola. Garofolo andò a guardare dalla finestra luminosa, e tornò quando Amelio sollevando le coperte gli tese con cautela la maiolica. – Vuota nel lavandino, – disse Amelio.

– Chi vuoi che venga a trovarmi? – disse, quand'ebbe la sigaretta accesa.

– Natalina la ricevi qui? – chiese Garofolo.

– Che cosa fai con Natalina?

Garofolo levò gli occhi.

– L'ho accompagnata una volta al cinema... Si lamenta che è sola. A te chi l'ha detto?

Amelio sorrise. – Natalina non sta sola neanche a legarla. Occhio alla tabaccheria.

Mentre Garofolo in piedi tormentava la sigaretta, Amelio fissava tranquillo le coperte. Il lavandino nell'angolo gocciolava cadenzato.

– Senti, Garofolo, – disse d'un tratto Amelio, – da tre mesi non esco di casa. Mio padre non è capace e per mia madre è peccato. Tocca a te. Se non mi trovi una donna, sono

morto. Non portarmi piú da bere e con quei soldi affitta-
mene una. La porti qui, che non ci sia nessuno.

Il sorriso idiota di Garofolo gli fece alzare la voce:

– ... E dille che sono uno storpio, ché non mi faccia poi
storie. Prendila magra altrimenti mi schiaccia. Capito?

Garofolo aveva in gola una domanda, ma non la fece.
Tormentò un altro poco la sigaretta, buttò il mozzicone, disse calmo:

– Qualunque donna?

– Che non sia troppo grassa, ma neanche un'acciuga.

– Secondo che la trovo. A che ora?

– Domani mattina a quest'ora.

– Se l'avrò già trovata. Vado subito?

– Fila.

Natalina se lo vide sul portone a mezzogiorno e lasciò in
fretta le colleghe che ridevano e gli corse a fianco.

Girato l'angolo cominciò Garofolo.

– È vero che da tre mesi non vai piú da Amelio?

Natalina si fermò, gli serrò il polso e disse adagio: – Vorresti che ci andassi?

Siccome era sabato non c'era fretta. Girando per le stra-
ducole deserte, Natalina gli disse ogni cosa, senza rimpro-
verarlo che avesse parlato con Amelio.

– Gli ho voluto molto bene prima, e tu lo sai, – disse Natalina guardando avanti a sé. – Te l'ho detto sinceramente.
All'ospedale andavo sempre a trovarlo, benché fosse colpa
sua se era là. Ma dopo, – Natalina storse la bocca, – dopo
non ho potuto resistere piú. È come se avesse le gambe di
pietra. Tu vorresti bene a una donna con le gambe di pietra? Me le sogno di notte e mi fanno ribrezzo.

– Però è un uomo come tutti gli altri, – disse Garofolo
tanto per dire.

– Che cosa importa? – e Natalina lo guardò con rim-
provero. – Non cerca solo questo una ragazza. E gliel'ho
detto.

– Gliel'hai detto?

– Sí.

Passeggiarono fino all'una e Natalina sorridendo si toglieva dalla vita la mano di Garofolo che, pensando alla donna che doveva portare ad Amelio, non aveva piú ritegno.
Combinarono che dopocena sarebbe passata lei dalla tabaccheria a prenderlo. Poi si diedero un bacio sotto un portone dove entrava una banda di sole.

Natalina non l'aveva detto, ma Garofolo rincasando so-
spettava che Amelio l'avesse anche maltrattata.

Pure, nel pomeriggio andò per quella commissione. Provava un senso d'irresponsabile fastidio a rimetter piede in
quella casa, ora che sapeva che con Natalina era questione
di tempo e magari l'avrebbe sposata. Un po' trafelato chiese
di parlare con la padrona.

In piedi, sulla porta di un salottino, la padrona l'ascoltò
senza batter ciglio.

– La mattina, a che ora? – disse.

Garofolo in uno specchio laterale vide confusamente
qualcosa di nudo.

– Bisogna intenderci subito, con voialtri. Sono almeno
cento lire...

– Cento lire...

Nel pomeriggio Garofolo ci pensava ancora e concluse di
cercare una di quelle della strada che, anche per l'avvenire,
fosse a portata dei mezzi d'Amelio. Ma fino a notte non era
possibile.

Garofolo fece sera servendo al banco, un po' distratto,
perché adesso pensava con troppo gusto alle gambe di Natalina. Alla peggio, una ragazza come quella valeva la pena
di sposarla. Senza quel capitombolo, Amelio l'avrebbe certo sposata.

Dopo cena si trovarono e andarono a spasso. Stavolta Natalina non cercava piú di nascondersi, e anzi per infilare un
vicolo buio Garofolo dovette manovrare. – Sciocco, – diceva Natalina, – abbiamo tempo –. Si baciarono e strinsero
insieme. Poi andarono a ballare e Garofolo ottenne che ballasse soltanto con lui. Ballando Natalina lo guardava, e stavano incollati come un corpo solo.

La lasciò sul portone, che c'era la luna. Baciandola Garofolo le disse a bassa voce: – Io ti sposo e cosí Amelio non
potrà dir nulla.

– Che cosa vuoi che dica? – bisbigliò Natalina guardandolo negli occhi.

Poi Garofolo attraversò la città fino a un viale del centro, dove una volta era stato fermato da una vecchia e una
giovane che litigavano. Faceva freddo, e si fermò stracco
morto non vedendo nessuno: forse il chiarore della luna le
scacciava? Prese una viuzza laterale e dopo il primo portone
si sentí invitare.

Nell'ombra Garofolo fissò un viso smorto ch'era tutto oc-

chi e bocca. La donna ascoltò impaziente prendendogli il
braccio. – E tu non mi vuoi? – disse con voce roca.

Garofolo scosse il capo. – Non hai mica malattie?

– Provami, va'!

Presero appuntamento per le undici dell'indomani. Sempre tenendogli il braccio, la donna volle una sigaretta: Garofolo gliel'accese e contento di non avere nemmeno scherzato, se ne andò, pensando a Natalina.

Cronologia della vita e delle opere

1908   9 settembre: nasce a Santo Stefano Belbo (Cuneo) da Eugenio, cancelliere di tribunale, e Consolina Mesturini.

1914   Prima elementare a Santo Stefano.

1915-26   Studia a Torino: elementari (istituto Trombetta); ginnasio inferiore (istituto Sociale); ginnasio superiore (Cavour); liceo (Massimo d'Azeglio). Il professore d'italiano e latino è Augusto Monti, gli amici Enzo Monferrini, Tullio Pinelli, Mario Sturani, Giuseppe Vaudagna.

1926-29   Facoltà di Lettere e Filosofia: studia con passione le letterature classiche e quella inglese. Frequenta altri amici, sempre del clan (o «Confraternita») Monti: Norberto Bobbio, Leone Ginzburg, Massimo Mila. Si apre alla letteratura americana, vagheggiando, senza ottenerla, una borsa alla Columbia University. Altri compagni via via lo affiancano: Franco Antonicelli, Giulio Carlo Argan, Vittorio Foa, Ludovico Geymonat, Giulio Einaudi.

1930   Si laurea su Walt Whitman con Ferdinando Neri. Non riesce a essere accolto come assistente all'Università. Ottiene alcune supplenze fuori Torino, avvia i primi rapporti editoriali come traduttore dall'inglese (*Il nostro signor Wrenn* di Sinclair Lewis, premio Nobel dell'anno, per Bemporad), scrive racconti e poesie. Novembre: gli muore la madre Consolina (il padre è scomparso nel 1914).

1931   Ancora supplenze, ancora saggi, poesie e racconti, ancora traduzioni. Gennaio: Federico Gentile, per la Treves-Treccani-Tumminelli, gli commissiona la traduzione di *Moby Dick* di Herman Melville, che uscirà nel '32 da un nuovo editore, il torinese Carlo

Frassinelli. Febbraio: raccoglie in una silloge mano-
scritta dal titolo *Ciau Masino* i venti racconti che è
venuto scrivendo dall'ottobre '31 sino ad allora (il
libro uscirà postumo soltanto nel 1968). Ha preso a
pubblicare sulla «Cultura» saggi su scrittori ameri-
cani (dopo S. Lewis nel 1930, escono due suoi studi
su S. Anderson e E. L. Masters).

1933   Escono sulla «Cultura» tre suoi saggi su J. Dos Passos, T. Dreiser e W. Whitman. Si iscrive al Partito
Nazionale Fascista: ottiene cosí la prima supplenza
nel «suo» d'Azeglio. Novembre: Giulio Einaudi
iscrive la sua casa editrice alla Camera di Commer-
cio.

1934   Frassinelli pubblica la sua traduzione di *Dedalus* di
Joyce. Invia le poesie, raccolte sotto il titolo *Lavorare stanca*, per il tramite di Leone Ginzburg, ad Al-
berto Carocci, che le pubblicherà nel 1936 presso
Parenti, a Firenze, nelle Edizioni di Solaria (la seconda, nuova edizione uscirà presso Einaudi nel
1943). Maggio: sostituisce Leone Ginzburg, arrestato per attività sovversiva, alla direzione della «Cultura» sino al gennaio 1935.

1935   Mondadori pubblica le sue traduzioni di due roman-
zi di Dos Passos, *Il 42° parallelo* e *Un mucchio di
quattrini*. Relazione con Battistina Pizzardo (Tina),
insegnante, comunista. Maggio: la redazione della
«Cultura» è tratta in arresto alle Carceri Nuove di
Torino. Giugno: è tradotto a Regina Coeli, a Roma.
Luglio: gli viene comminato il confino, per tre anni,
a Brancaleone Calabro, sullo Ionio, e vi giunge il 3
agosto.

1936   Marzo: gli viene concesso il condono del confino e il
19 è a Torino, dove apprende che Tina si è fidanza-
ta con un altro e s'appresta al matrimonio. La crisi è
per lui molto violenta.

1937   La ripresa della collaborazione con Einaudi gli ridà
qualche energia e speranza. Lavora altresí per Mondadori (traduzione di *Un mucchio di quattrini* di John
Dos Passos) e per Bompiani (*Uomini e topi* di John
Steinbeck). Scrive molti racconti e liriche, le cosid-
dette «Poesie del disamore».

1938   Finisce di tradurre per Einaudi *Fortune e sfortune del-*

la famosa Moll Flanders di Daniel Defoe e *Autobiografia di Alice Toklas* di Gertrude Stein, editi nell'anno. Il 1° maggio è «asservito completamente alla casa editrice», cioè finalmente assunto: deve tradurre (sino a) 2000 pagine, rivedere traduzioni altrui, esaminare opere inedite, e svolgere lavori vari in redazione. Scrive diversi racconti.

1939   Conclude per Einaudi la traduzione di *Davide Copperfield* di Dickens, pubblicato nel corso dell'anno. Aprile: termina la stesura del romanzo *Memorie di due stagioni* (nel 1948, *Il carcere*, nel volume *Prima che il gallo canti*). Giugno-agosto: scrive il romanzo *Paesi tuoi*.

1940   Per Einaudi, nei radi intervalli che il lavoro editoriale gli concede (è ritenuto dai colleghi un redattore infaticabile), traduce *Benito Cereno* di Melville e *Tre esistenze* della Stein. Marzo-maggio: stesura del romanzo *La tenda* (nel 1949, *La bella estate*). Reincontra una ex allieva, Fernanda Pivano.

1941   Esce a puntate su «Lettere d'Oggi» il romanzo breve *La spiaggia* la cui stesura è compresa tra il novembre precedente e il gennaio di quest'anno: il libro vedrà la luce presso la stessa sigla nel 1942. Maggio: esce *Paesi tuoi*, che segna la sua consacrazione come narratore.

1942-44   Il ruolo di Pavese nella Einaudi aumenta giorno dopo giorno. Senza essere formalmente il direttore editoriale (carica che Giulio Einaudi gli riconoscerà solo a guerra finita), lo è di fatto. Nella primavera 1943 è a Roma, a lavorare nella filiale con Mario Alicata, Antonio Giolitti e Carlo Muscetta. L'8 settembre 1943 la casa editrice Einaudi è posta sotto la tutela di un commissario. Pavese si trasferisce a Serralunga di Crea. A dicembre dà ripetizioni nel collegio dei Padri Somaschi a Trevisio, presso Casale Monferrato, dove, sotto falso nome (Carlo de Ambrogio), si trattiene sino al 25 aprile 1945.

1945   Dopo la Liberazione, viene riaperta la sede torinese dell'Einaudi, ora in corso Galileo Ferraris. Pavese è ormai il factotum della casa editrice e riprende, uno ad uno, i contatti con i collaboratori, interrotti durante i venti mesi dell'occupazione tedesca. Nell'agosto si trasferisce a Roma e coordina anche la sede di via Uffici del Vicario 49.

1946   Intenso lavoro a Roma, avvio di nuove collane e iniziative (Santorre Debenedetti e i classici italiani, Franco Venturi e le scienze storiche, De Martino e l'etnologia). Agosto: rientro a Torino. Novembre: esce *Feria d'agosto*.

1947   Escono, nel corso dell'anno, *Dialoghi con Leucò* (la cui stesura è compresa tra il dicembre '45 e la primavera '47) e *Il compagno*, nonché la traduzione di *Capitano Smith* di Robert Henriques e l'introduzione a *La linea d'ombra* di Conrad.

1948   Esordio della «Collezione di studi religiosi, etnologici, e psicologici», codiretta con Ernesto De Martino. Giugno-ottobre: stesura de *Il diavolo sulle colline*.

1949   Marzo-maggio: stesura del romanzo breve *Tra donne sole*. Novembre: esce *La bella estate*, che comprende il racconto omonimo, *Il diavolo sulle colline*, *Tra donne sole*. Settembre-novembre: stesura de *La luna e i falò*.

1950   Aprile: esce *La luna e i falò*. Una nuova crisi sentimentale (l'attrice americana Constance Dowling, per la quale ha scritto molti soggetti), intensa produzione poetica. Giugno: riceve il premio Strega per *La bella estate*. Agosto: la notte del 26 si uccide nell'albergo Roma di Torino.

Indice

*Stampato per conto della Casa editrice Einaudi
presso G. Canale & C., s.p.a., Borgaro (Torino)*

C.L. 11828